한 권으로 끝내는
부동산 세금

한 권으로 끝내는 부동산 세금 - 주택편

2021년 3월 25일 초판 1쇄 발행
2021년 4월 12일 초판 2쇄 발행

지 은 이 ㅣ 이태현, 정선우, 김형태
발 행 인 ㅣ 이희태
발 행 처 ㅣ 삼일인포마인
등록번호 ㅣ 1995. 6. 26 제3-633호
주　　소 ㅣ 서울특별시 용산구 한강대로 273 용산빌딩 4층
전　　화 ㅣ 02)3489-3100
팩　　스 ㅣ 02)3489-3141
가　　격 ㅣ 18,000원

ISBN   978-89-5942-964-6   13320

부자로 가기 위한 세금상식

한 권으로 끝내는
부동산 세금

이태현 · 정선우 · 김형태 공저

주택편

SAMIL | 삼일인포마인

머리말

주택을 가지고 있는 경우 발생하는 세금을
세목별로 알아보는 바이블서

정부는 2017년 6월 19일 부동산 규제기반확립 발표를 시작으로 2021년 2월 4일 「공공주도 3080+대도시권 주택공급 획기적 확대방안」까지 25번의 부동산 대책을 발표하였습니다.

현 정부는 수도권 등의 민간에 의한 공급을 장려하려 2017년 12월 13일 「임대주택등록 활성화 방안」을 발표하여 민간공급을 이끌어내려 하였으나, 주택시장 가격이 계속 상승되고, 다주택자들의 투기현상이 지속되자 임대주택에 대한 혜택을 사실상 폐지하고, LH 등 공공기관에서의 정부주도하 주택공급방안으로 기조를 바꾸었습니다.

17. 08. 02. 대책, 18. 09. 13. 대책 19. 12. 16. 대책, 20. 06. 17. 대책, 20. 07. 10. 대책에 따라 사실상 투기목적의 부동산투자를 억제하고, 청년, 신혼 부부 등 무주택세대의 실수요적인 측면을 적극적으로 지원하려했으나, 대출규제 등으로 수도권 등 실수요자 등에게도 사

실상 영향을 미쳤습니다.

주택임대사업자의 등록에 대한 혜택도 사실상 폐지되고, 부동산 가격을 막고자 끊임없이 발표되는 부동산 대책들로 인해 또 다른 경제환경에 놓이게 되고, 이러한 상황에서 세법을 전문적으로 다루는 세무사들조차도 '양포세', 즉 양도소득세 상담 포기한 세무사란 말까지 나온 형국에 일반인들 입장에서는 끊임없이 발표되는 정부정책에 당연히 자신에게 미칠 영향이 과연 무엇이고 그것에 대한 옳은 판단을 할 수 있을까?라는 의구심에 책을 집필하게 되었습니다.

이 책은 양도소득세 전문 세 명의 세무사가 현 정권의 25개의 부동산 정책 보도자료뿐만 아니라, 과거 정권의 부동산 대책의 연혁 등을 모두 연구하고, 실무에서 접한 상담내용과 양도소득세 강의를 통한 수강원이 궁금할 만한 대표적 질문 등을 반영하여 집필하였습니다.

본서는 다음과 같은 원칙으로 기술하였습니다.

첫째, 정부에서 발표한 보도 자료와 개정세법을 기반으로 궁금해할 만한 사례들을 도식화하여 설명함으로써 독자들이 쉽게 이해할 수 있도록 하였습니다.

둘째, 사례에 대한 답변이나 근거를 예규나 법령을 기재해놓음으로써 집필자들이 어떤 근거로 판단하였는지를 확인하고, 독자들에게 신뢰감을 줄 수 있도록 하였습니다.

셋째, 취득·보유·양도단계로 나누어 독자들이 현재 상황에 맞추어 관련된 내용을 쉽게 찾을 수 있도록 하였습니다.

넷째, 독자들이 가장 궁금해할 만한 질문을 정리하여 답변을 기술하면서, 해당 질문에서 파생될만한 항목들을 [Tip]으로 정리하여 하나의 질문으로 여러 가지 정보를 알 수 있도록 하였습니다.

위 원칙을 고수하며, 제1편 [취득단계], 제2편 [보유단계: (1) 종합부동산세, (2) 주택임대소득세], 제3편 [양도단계]로 구성하였습니다.

제1편 [취득단계]에서는 취득세의 연혁과 계산구조 등 기본적인 세금계산과 구성요소들을 살펴보고, 최근 이슈가 된 취득세 중과세의 주택수계산 중 1가구 2주택의 예외와 조세정책상 중과세를 하지 않는 주택, 세대분리를 중점적으로 설명하였습니다. 특히 구청이나 렌트홈, 시청에 전화하지 않아도 독자들이 가장 궁금해할 만한 점을 설명함으로써, 취득세 예상세액을 쉽게 계산할 수 있도록 기술하였습니다.

제2편 [보유단계]에서는 2019년도부터 본격적으로 과세된 임대소득세와 공시지가상승으로 인해 납부부담이 오르게 된 종합부동산세를 구분하여 기술하였습니다.

종합부동산세는 종합부동산세의 연혁과 기본구조를 설명하고, 최근 가장 큰 변화인 세율의 구조와 1세대 공동명의로 진행하게 될 경우 실제 부담하게 될 세액을 세액계산단계로 차례로 설명함으로써, 글뿐만이 아닌 숫자로 쉽게 알아볼 수 있도록 여러 사례를 숫자로 적용하여 기술하였습니다.

임대소득세는 2019년부터 과세된 만큼 등록임대주택과 미등록임대주택의 세금혜택을 설명하고, 독자들이 쉽게 알아볼 수 있도록 표로 정리함으로써 과세되는지 여부를 확인할 수 있도록 하였습니다.

제3편 [양도단계]에서는 세금 관련된 항목이 가장 많은 만큼 1세대 2주택, 2주택 이상 다주택자, 일시적 2주택, 분양권, 임대주택에 대하여 정리하였습니다. 양도소득세의 연혁부터 최신 개정세법까지 반영함으로써 양도소득세에 대하여 가장 이슈가 될만한 항목들을 각각 파트별로 구성함으로써, 한 파트 내에서 나올 수 있는 사례를 최대한 반영하여 기술하였습니다.

최근 부동산 대책을 연이어 발표하면서, 취득단계부터 양도단계까지 최신 대책이 반영된 서적이 없어 최근 주택을 증여하거나 취득, 양도까지 세금 때문에 정확한 판단을 내리지 못한다면 이 책을 통해 해소하는데 도움이 되길 바랍니다.

마지막으로 출간되기 전까지 도와주신 삼일인포마인 조윤식 이사님과 임연혁 차장님, 석혜진 대리님에게 모두 감사드립니다.

2021. 03.

이태현, 정선우, 김형태

차 례

PART 2 | 보유단계

CHAPTER 1 종합부동산세

⊙Ⓐ 문답問答으로 풀어보는 주택세금

PART **3** | **양도단계**

CHAPTER 1 **양도소득세**

문답問答으로 풀어보는 주택세금

PART
1

취득단계

CHAPTER 1

취득단계

1 서 설

기존의 취득세율은 매매를 원인으로 취득하는 경우 통상적으로 4%의 취득세율이 적용되지만, 주거안정을 목적으로 주택을 취득하는 때에는 2013년부터 지방세특례제한법에 규정되어 있던 법문을 지방세법으로 이관하여 그 가액에 따라 1~3%의 취득세율을 적용하는 특례가 적용되고 있었습니다. 이러하듯 단순하게 적용되는 주택의 취득세율 체계로 인해 취득단계에서의 취득세는 부동산매매를 하는 데에 있어 그리 중요하지 않은 세목으로 다루어져 왔었습니다.

하지만, 2019년 12월 16일에 발표된 부동산 대책에서 '1세대 4주택 이상 취득하는 분'부터는 주거안정을 위한 1~3% 특례세율의 적용을 배제하고, 2020년 7월 10일에 발표된 부동산 대책에서는 주택 수 산정에 기존에 포함하지 않던 입주권, 분양권, 주거용 오피스텔을 포함함과 동시에 '개인 및 법인의 주택취득'에 대하여 중과취득세율을 적용하는 등 보유 및 양도단계와 더불어 취득단계의 취득세율 또한 중요한 판단사항으로 떠오르게 되었습니다.

이러한 취득세율의 적용을 정확하게 판단하기 위해서는 취득세에 대한 기본지식을 숙지하여야 그 적용의 취지와 적용요건 등을 이해할 수 있으므로, 먼저 이에 따른 기본상식과 판단절차를 설명하고자 합니다.

② 취득세의 계산구조

취득세의 계산구조는 다음과 같습니다.

과세표준	취득 당시의 가액
× 세율	다음의 합계 ① 취득세율 ② 농어촌특별세율 ③ 지방교육세율
납부세액	취득일로부터 60일 이내 신고 · 납부

❸ 취득세율의 판정 절차

2020년 7월 10일에 발표된 부동산 대책에 따라 2020년 8월 12일에 시행된 지방세법의 정확한 적용을 위해서는 다음의 순서에 따라 그 취득세율의 판단이 진행됩니다.

1단계 (1세대의 판단)	① 원칙: 주민등록표상 세대주와 세대원을 1세대로 봄. ② 배우자와 미혼인 30세 미만의 자녀는 세대가 분리되어 있더라도 1세대로 간주
2단계 (주택 수의 판단)	① 개정사항에 따라 시행일(20. 08. 12.) 이후에 취득하는 입주권, 분양권, 주거용 오피스텔 또한 주택 수에 포함하여 산정함. ② 취득 당시 공시지가 1억 원 이하인 주택, 상속을 원인으로 취득한 주택, 가정용어린이집 등의 주택은 주택 수 산정에서 제외
3단계 (취득세율 적용)	① 개인: 새로이 취득하는 주택이 조정대상지역, 비조정대상지역인지 여부에 따라 1~3%, 8% 및 12%의 세율이 적용됨. ② 법인: 일괄적으로 12%의 세율이 적용됨.

 1세대의 판단

가. 원칙

지방세법에서의 1세대란 「주민등록법」에 따른 '주민등록표' 또는 「출입국관리법」에 따른 '등록외국인기록표등'에 따라 함께 기재되어 있는 세대주 및 세대원을 말하며, 취득일 현재의 배우자 및 미혼인 30세 미만의 자녀는 '주민등록표' 등에 기재되어 있지 않더라도 같은 세대를 구성하고 있는 것으로 봅니다.

나. 예외

다만, 다음의 경우 취득 시점은 각각 별도의 세대로 보게 됩니다.

① 부모와 별도 세대를 구성하고 있는 30세 미만의 자녀로서 기준 중위소득의 40% 이상의 소득을 갖춘 경우[1] (다만, 미성년 자인 경우에는 제외)

② 취득일 현재 65세 이상의 부모를 동거봉양하기 위하여 30세 이상의 자녀, 혼인한 자녀 또는 ①에 해당하는 자녀가 합가한 경우

③ 취학 또는 근무상의 형편 등으로 세대 전원이 90일 이상 출국하는 경우

---

1) 2021년 1인 기준: 월 근로소득 약 73만 원

지방세법 시행령 제28조의3(세대의 기준)

① 〈생략〉 1세대란 주택을 취득하는 사람과 「주민등록법」 제7조에 따른 세대별 주민등록표(이하 이 조에서 "세대별 주민등록표"라 한다) 또는 「출입국관리법」 제34조 제1항에 따른 등록외국인기록표 및 외국인등록표(이하 이 조에서 "등록외국인기록표등"이라 한다)에 함께 기재되어 있는 가족(동거인은 제외한다)으로 구성된 세대를 말하며 주택을 취득하는 사람의 배우자(사실혼은 제외하며, 법률상 이혼을 했으나 생계를 같이 하는 등 사실상 이혼한 것으로 보기 어려운 관계에 있는 사람을 포함한다. 이하 제28조의6에서 같다), 취득일 현재 미혼인 30세 미만의 자녀 또는 부모(주택을 취득하는 사람이 미혼이고 30세 미만인 경우로 한정한다)는 주택을 취득하는 사람과 같은 세대별 주민등록표 또는 등록외국인기록표등에 기재되어 있지 않더라도 1세대에 속한 것으로 본다.

② 제1항에도 불구하고 다음 각 호의 어느 하나에 해당하는 경우에는 각각 별도의 세대로 본다.

1. 부모와 같은 세대별 주민등록표에 기재되어 있지 않은 30세 미만의 자녀로서 「소득세법」 제4조에 따른 소득이 「국민기초생활 보장법」 제2조 제11호에 따른 기준 중위소득의 100분의 40 이상이고, 소유하고 있는 주택을 관리·유지하면서 독립된 생계를 유지할 수 있는 경우. 다만, 미성년자인 경우는 제외한다.

2. 취득일 현재 65세 이상의 부모(부모 중 어느 한 사람이 65세 미만인 경우를 포함한다)를 동거봉양(同居奉養)하기 위하여 30세 이상의 자녀, 혼인한 자녀 또는 제1호에 따른 소득요건을 충족하는 성년인 자녀가 합가(合家)한 경우

3. 취학 또는 근무상의 형편 등으로 세대 전원이 90일 이상 출국하는 경우 〈생략〉

📑 주택 수의 판단

가. 일반사항

취득 시 주택 수는 세대별로 소유하는 주택 수를 합산하여 계산합니다. 계산할 때에는 시행일(20. 08. 12.) 이후에 취득하는 조합원입주권, 분양권, 주거용으로 사용하는 오피스텔은 주택 수에 포함하여 계산하며, 시행일(20. 08. 12.) 전에 매매계약을 체결한 때에는 시행일 후에 취득하더라도 주택 수에 포함하지 않습니다.

구 분	시행일 전 취득분 (~20. 08. 11.)	시행일 후 취득분 (20. 08. 12.~)
주택	포함	포함
등록임대주택, 감면주택, 상속주택*	포함	포함
입주권, 분양권, 주거용 오피스텔	제외	포함

*상속개시일로부터 5년 이내의 주택

지방세법 제13조의3(주택 수의 판단 범위)

〈생략〉다음 각 호의 어느 하나에 해당하는 경우에는 다음 각 호에서 정하는 바에 따라 세대별 소유 주택 수에 가산한다.

1. 「신탁법」에 따라 신탁된 주택은 위탁자의 주택 수에 가산한다.
2. 〈생략〉조합원입주권은 해당 주거용 건축물이 멸실된 경우라도 해당 조합원입주권 소유자의 주택 수에 가산한다.
3. 〈생략〉주택분양권은 해당 주택분양권을 소유한 자의 주택 수에 가산한다.
4. 〈생략〉주택으로 과세하는 오피스텔은 해당 오피스텔을 소유한 자의 주택 수에 가산한다.

지방세법 부칙 〈법률 제17473호, 2020. 08. 12.〉

제3조(주택 수의 판단 범위에 관한 적용례) 제13조의3 제2호부터 제4호까지의 개정규정은 이 법 시행 이후 조합원입주권, 주택분양권 및 오피스텔을 취득하는 분부터 적용한다.

제7조(주택 수의 판단 범위에 관한 경과조치) 부칙 제3조에도 불구하고 제13조의3 제2호부터 제4호까지의 개정규정은 이 법 시행 전에 매매계약(오피스텔 분양계약을 포함한다)을 체결한 경우는 적용하지 아니한다.

나. 주택 수 산정 시 제외되는 주택

위 가.에서 설명한 주택 수를 산정하는데 있어 다음 주택의 경우에는 주택 취득시기를 불문하고, 주택 수의 산정에서 제외됩니다.

구 분	내 용
공시가격 1억 원 이하 주택	공시가격이 1억 원 이하인 주택. 단, 재개발 구역 등은 제외
노인복지주택, 가정용어린이집	노인복지주택, 가정용어린이집의 용도로 운영하기 위하여 취득하는 주택
사원용 주택	사원에게 임대할 목적으로 취득하는 주택. 단, 특수관계인 및 과점주주에 대한 임대는 제외
공공지원임대주택	공공주택사업자가 공공지원임대주택으로 사용하기 위하여 취득하는 주택
국가등록문화재	「문화재보호법」에 따라 국가등록문화재로 등록된 주택
재개발사업을 위한 멸실목적의 주택	재개발사업을 진행하기 위하여 멸실을 목적으로 취득하는 주택
미분양된 주택	「건축법」, 「주택법」에 따른 시공자가 주택의 공사대금으로 받은 미분양주택
농어촌주택	요건을 충족하는 농어촌주택
주택건설사업자가 신축한 주택	주택 공급사업 과정에서 취득하는 미분양된 주택
상속주택*	상속을 원인으로 취득한 주택 등으로서 상속개시일로부터 5년 이내의 주택

* 시행일(20. 08. 12.) 전에 상속을 원인으로 취득한 주택의 경우 개정된 규정에도 불구하고, 영 시행일로부터 5년 동안 주택 수 산정 시 제외합니다.

지방세법 시행령 제28조의4(주택 수의 산정방법)

⑤ 〈생략〉 <u>1세대의 주택 수를 산정할 때 다음 각 호의 어느 하나에 해당하는 주택, 조합원입주권, 주택분양권 또는 오피스텔은 소유주택 수에서 제외한다.</u>

1. 다음 각 목의 어느 하나에 해당하는 주택
   가. 제28조의2 제1호에 해당하는 주택으로서 주택 수 산정일 현재 같은 호에 따른 해당 주택의 시가표준액 기준을 충족하는 주택
   나. 제28조의2 제3호 · 제5호 · 제6호 및 제12호에 해당하는 주택으로서 주택 수 산정일 현재 해당 용도에 직접 사용하고 있는 주택
   다. 제28조의2 제4호에 해당하는 주택
   라. 제28조의2 제8호 및 제9호에 해당하는 주택. 다만, 제28조의2 제9호에 해당하는 주택의 경우에는 그 주택의 취득일부터 3년 이내의 기간으로 한정한다.
   마. 제28조의2 제11호에 해당하는 주택으로서 주택 수 산정일 현재 제28조 제2항 제2호의 요건을 충족하는 주택
2. 「통계법」 제22조에 따라 통계청장이 고시하는 산업에 관한 표준분류에 따른 주거용 건물 건설업을 영위하는 자가 신축하여 보유하는 주택. 다만, 자기 또는 임대계약 등 권원을 불문하고 타인이 거주한 기간이 1년 이상인 주택은 제외한다.
3. 상속을 원인으로 취득한 주택, 조합원입주권, 주택분양권 또는 오피스텔로서 상속개시일부터 5년이 지나지 않은 주택, 조합원입주권, 주택분양권 또는 오피스텔
4. 주택 수 산정일 현재 법 제4조에 따른 시가표준액(지분이나 부속토지만을 취득한 경우에는 전체 건축물과 그 부속토지의 시가표준액을 말한다)이 1억 원 이하인 오피스텔

지방세법 시행령 부칙 〈대통령령 제30939호, 2020. 08. 12.〉

제2조(조합원입주권 또는 주택분양권에 의하여 취득하는 주택에 관한 적용례) 제28조의4 제1항 후단의 개정규정은 이 영 시행 이후 조합원입주권 또는 주택분양권을 취득하는 경우부터 적용한다.

제3조(상속주택 등의 주택 수 산정에 관한 특례) 이 영 시행 전에 상속을 원인으로 취득한 주택, 조합원입주권, 주택분양권 또는 오피스텔에 대해서는 제28조의4 제5항 제3호의 개정규정에도 불구하고 이 영 시행 이후 5년 동안 주택 수 산정 시 소유주택 수에서 제외한다.

🖹 취득세율의 적용

가. '매매'를 원인으로 한 주택 등의 취득세율

매매를 원인으로 취득하는 주택 등의 취득세율은 세대별로 새로이 취득하는 주택을 기준으로, 다음의 표에 따라 그 취득세율을 적용합니다.

다만, 2020년 7월 10일 이전 매매계약을 취득하고 계약금을 지급한 경우에는 종전의 세율이 적용됩니다.

구 분	무주택에서 1주택	1주택에서 2주택	2주택에서 3주택	3주택에서 4주택 이상
조정대상지역	1~3%	8%*	12%	12%
비조정대상지역	1~3%	1~3%	8%	12%
법인	12%[2]			

* 다만, 일시적 2주택에 해당하는 경우에는 **1~3%**의 세율을 적용

---

2) 법인의 경우 취득하는 주택 수와 관계없이 12%의 취득세율을 적용

<종전의 세율>

구 분		취득세율
개인	1주택	주택가액에 따라 1~3%
	2주택	
	3주택	
	4주택 이상	4%
법인		주택가액에 따라 1~3%

지방세법 부칙 〈법률 제17473호, 2020. 08. 12.〉

제6조(법인의 주택 취득 등 중과에 대한 경과조치) 〈생략〉 법인 및 국내에 주택을 1개 이상 소유하고 있는 1세대가 2020년 7월 10일 이전에 주택에 대한 매매계약(공동주택 분양계약을 포함한다)을 체결한 경우에는 그 계약을 체결한 당사자의 해당 주택의 취득에 대하여 종전의 규정을 적용한다. 다만, 해당 계약이 계약금을 지급한 사실 등이 증빙서류에 의하여 확인되는 경우에 한정한다.

나. 취득세 중과의 예외

위 가.에서의 매매를 원인으로 취득하는 경우에도 불구하고, 다음의 경우에는 취득세율을 중과하지 않습니다.

구 분	내 용
공시가격 1억 원 이하 주택	공시가격이 1억 원 이하인 주택. 단, 재개발 구역 등은 제외
노인복지주택, 가정용어린이집	노인복지주택, 가정용어린이집의 용도로 운영하기 위하여 취득하는 주택
사원용 주택	사원에게 임대할 목적으로 취득하는 주택. 단, 특수관계인 및 과점주주에 대한 임대는 제외
공공지원임대주택	공공주택사업자가 공공지원임대주택으로 사용하기 위하여 취득하는 주택

구 분	내 용
국가등록문화재	「문화재보호법」에 따라 국가등록문화재로 등록된 주택
재개발사업을 위한 멸실목적의 주택	재개발사업을 진행하기 위하여 멸실을 목적으로 취득하는 주택
미분양된 주택	「건축법」, 「주택법」에 따른 시공자가 주택의 공사대금으로 받은 미분양주택
농어촌주택	요건을 충족하는 농어촌주택
주택건설사업자가 신축한 주택	주택 공급사업 과정에서 취득하는 미분양된 주택
상속주택	상속을 원인으로 취득한 주택 등으로서 상속개시일부터 5년 이내의 주택
주택도시기금 등이 환매 조건부로 취득하는 주택	환매하는 것을 조건으로 취득하는 주택도시기금, 부동산투자회사 등이 취득하는 주택
저당권의 실행으로 취득하는 주택	「은행법」에 따른 은행 등이 저당권의 실행, 채권 변제로 취득하는 주택

다. '증여'를 원인으로 한 주택 등의 취득세율

조정대상지역 내의 공시가격이 3억 원 이상인 주택을 증여하는 때에는 그 취득세율을 12%로 적용합니다. 다만, 1세대 1주택을 보유한 자가 그 배우자 및 직계존비속에게 증여하는 경우에는 그 중과세율을 적용하지 않습니다.

구 분	증여자산의 공시가격	취득세율
조정대상지역	공시가격 3억 원 이상	12%
	공시가격 3억 원 이하	3.5%
비조정대상지역	가액요건 없음.	3.5%

<세부사항>

구 분	취득 가격	취득세율 중과세율	지방 교육세	농특세		합 계	
				85㎡ 이하	85㎡ 초과	85㎡ 이하	85㎡ 초과
조정대상지역 1주택(일시적 2주택자 포함), 비조정대상지역 2주택	6억 원 이하	1.0%	0.1%	비 과 세	0.2%	1.1%	1.3%
	6억 원 초과 9억 원 이하	1.01~ 3.0%	0.1~ 0.3%		0.2%	1.11~ 3.3%	1.31~ 3.5%
	9억 원 초과	3.0%	0.3%		0.2%	3.3%	3.5%
조정대상지역 2주택, 비조정 대상지역 3주택	취득가액 무관	8%	0.4%		0.6%	8.4%	9.0%
조정대상지역 3주택, 비조정 대상지역 4주택		12%	0.4%		1.0%	12.4%	13.4%
법인		12%	0.4%		1.0%	12.4%	13.4%

4 신고 및 납부

📑 신고 및 납부기한

취득세는 그 취득일(잔금청산일 또는 등기접수일 중 빠른 날)로
부터 60일 이내에 신고 및 납부하여야 합니다.

📋 납부 방법

취득세는 신고기한 내에 다음 중 어느 하나를 선택하여 그 취득세를 납부하게 됩니다.

1) 방문납부: 관할구청 세정과를 통한 납부
2) 인터넷을 통한 납부: 위택스(www.wetax.go.kr)를 통한 납부

문답(問答)으로
풀어보는 주택세금

Ⅰ. 1세대의 범위

Q 취득세 중과세를 적용할 때에 1세대의 판단기준이 어떻게 되나요?

A 1세대는 「주민등록법」 제7조에 따른 세대별 주민등록표에 함께 기재된 가족을 기준으로 판단합니다. 단, 배우자와 미혼인 30세 미만의 자녀는 세대를 분리하여 거주하더라도 1세대로 간주합니다.

※ 주민등록표가 없는 외국인의 경우에는 「출입국관리법」 제34조 제1항에 따른 등록 외국인기록표 및 외국인등록표

TIP

○ 1세대의 범위

　1세대의 기준은 원칙적으로는 세대별 주민등록표 또는 등록외국 인기록표 및 외국인등록표에 함께 기재되어 있는 가족으로 구성된 세대를 말합니다. 다만, 예외적으로 **다음에 대하여는 각각 별도의 세대로** 간주합니다.

① 부모와 별도세대를 구성하고 있는 30세 미만의 자녀로서 기준 중위소득의 40% 이상의 소득을 갖춘 경우[3] (다만, 미성년자인 경우에는 제외)

② 취득일 현재 65세 이상의 부모를 동거봉양하기 위하여,
  - 30세 이상의 자녀
  - 혼인한 자녀 또는 ①에 해당하는 자녀가 합가한 경우

③ 취학 또는 근무상의 형편 등으로 세대 전원이 90일 이상 출국하는 경우

○ 중위소득 40%의 의미

기준 중위소득이란, 국민가구소득의 중간 값으로서 기초생활수급자 등의 선정을 위한 국민 소득의 중위값을 말합니다. 2020년과 2021년의 기준 중위소득은 1인 가구 기준 1,757,194원(2020년), 1,827,831원(2021년)으로 각각 중위소득에 해당하는 금액은 702,878원(2020년), 731,132원(2021년)입니다.

가구원 수	2020년	2021년
1인	1,757,194원	1,827,831원
2인	2,991,980원	3,088,079원
3인	3,870,577원	3,983,950원
4인	4,749,174원	4,876,290원
5인	5,627,771원	5,757,373원
6인	6,506,368원	6,628,603원

참고: 2021년 기준 중위소득 및 생계의료급여선정기준과 최저보장수준 고시

---

3) 2021년 1인 기준: 월 근로소득 약 73만 원

○ 소득의 입증방법

소득의 입증서류(소득증빙서류)는 다음 중 하나로 제출하면 됩니다.

구 분	제출서류명	발급처
전년도 소득이 있는 경우	근로소득원천징수영수증	홈택스
금년도 소득이 있는 경우	근로소득원천징수부*	회사

* 원칙적으로 당기에 중도퇴사하지 않는 경우에는 '근로소득원천징수부'를 소득자료
로 제출해야 하는 것이지만, 현재 취득세를 납부하는 관할구청에서 당해연도 소득
에 대한 증빙 또한 '근로소득원천징수영수증'으로 제출 요구하는 곳이 있습니다. 해
당 부분은 취득세를 신고 · 납부하기 전 납세지 관할 구청의 담당자와의 확인이 필
요한 내용입니다.

Ⅱ. 주택 수의 산정

> **Q** 부부가 공동 소유하는 경우 주택 수를 어떻게 계산하나요?
>
> **A** 세대 내에서 공동 소유하는 경우에는 1개의 '세대'가 1개 주택을 소유하는 것으로 계산하며, 동일 세대가 아닌 자와 공동으로 주택을 소유하는 경우에는 각각 1주택을 소유하는 것으로 계산합니다.

TIP

배우자는 주민등록표상에 동일한 주소지를 두고 있지 않더라도 1세대로 판단합니다.

'사실혼 관계'는 동일한 세대로 보지 아니하며, '법률상 이혼'하였으나 실제로는 생계를 같이하는 등 사실상 이혼한 것으로 보기 어려운 경우에는 동일한 세대로 판단합니다.

【예시】 부부 여부에 따른 주택 수 산정

주택

〈부부인 경우〉
1세대 내의 1주택으로 산정

〈부부가 아닌 경우〉
남자 · 여자 각각 1주택으로 산정

【예시】혼인 형태에 따른 주택 수 판정

주택

〈법률혼 관계〉
1세대 내의 1주택으로 산정

〈사실혼 관계〉
남자·여자 각각 1주택으로 산정

※ '법률혼'이란 **혼인신고를 한 상태**로 결혼생활을 하는 것을 말하며, '사실혼'이란 **혼인 신고 하지 아니하고** 사실상 혼인생활을 하여 법률혼으로 인정되지 않은 부부관계를 말합니다. 즉, 법적으로 혼인상태가 아닌 상태를 말합니다.

Q 주택이 상속되는 경우, 주택 수에 포함이 되나요? 또 공동으로 상속 받은 경우에는 주택 수가 어떻게 산정되나요?

A 상속을 원인으로 취득한 주택은 상속개시일(사망일)부터 5년간 주택 수 산정 시 제외됩니다. 또한, 공동상속인 경우에는 상속지분이 가장 큰 상속인의 소유주택에 포함됩니다.

TIP

○ 상속주택을 주택 수 산정 시 포함하지 않는 이유

　상속주택은 본인의 의사와 별개로 취득한 것이기 때문에 상속개시일(사망일)부터 5년 내에는 주택 수 산정 시 제외됩니다. 또한, 동일한 이유로 취득세율 중과대상 주택 수 산정에서도 제외됩니다.

○ 상속개시일로부터 5년의 기산방법

　지방세법 개정에 따른 시행일(20. 08. 12.)의 부칙(대통령령 제 30939호, 2020. 08. 12.)에 따라 시행일 이전·이후에 따른 상속주택 주택 수 제외기간(5년)의 기산일이 다음과 같이 달라집니다.

【예시】 2020년 8월 12일 이후에 상속이 개시된 경우

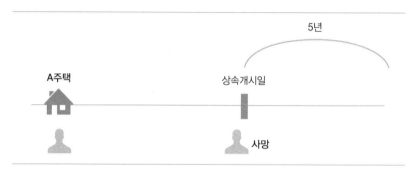

【예시】 2020년 8월 11일 이전에 상속이 개시된 경우

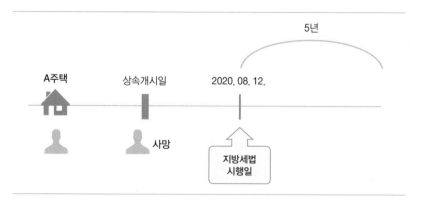

○ 상속개시일(사망일)로부터 5년이 지난 후에 새로운 주택을 취득하는 경우

상속개시일로부터 5년이 지난 경우에 그 상속주택은 다음의 구분에 따라 그 소유주를 판단합니다.

① 단독으로 상속을 받은 경우: 단독명의 상속인의 주택 수에 포함

② 공동으로 상속을 받은 경우: 지분이 가장 큰 상속인 주택 수에 포함하고, 지분이 가장 큰 상속인이 두 명 이상인 경우에는 다음의 순서에 따라 그 소유자를 판정

㉮ 해당 주택에 거주하고 있는 자

㉯ 최연장자

【예시】상속개시일(사망일)로부터 5년 이내에 새로운 주택을 취득하는 경우

▷ 조정대상지역에 1주택(A)과 상속으로 받은 2개의 주택(B, C)을 소유한 1세대 3주택자 **甲**이 상속개시일로부터 5년 이내에 조정대상지역에서 새로운 주택을 취득하는 경우 적용되는 취득세율은?

구 분	내 용	적 용
A주택	일반주택	-
B주택	상속주택	5년간 주택 수 제외
C주택	상속주택	5년간 주택 수 제외

▶ 신규로 취득하는 주택의 취득세율: 8%(∵ 조정대상지역 내 2번째 주택의 취득)

Q 오피스텔도 주택 수에 포함이 되나요?

A 2020년 8월 12일 이후에 취득하는 오피스텔로서 주거용인 경우에는 포함됩니다.

TIP

○ 오피스텔의 취득시기

주택 수에 포함하는 오피스텔은 2020년 8월 12일 이후에 취득하는 분부터 주택 수에 포함하며, 2020년 8월 11일 이전에 매매계약 (분양계약을 포함)을 체결한 경우에는 마찬가지로 **주택 수에 포함** 하지 않습니다.

○ 주거용 오피스텔의 판단

　오피스텔은 2020년 8월 12일 이후 취득한 경우로서, 재산세 과세기준일(20. 06. 01.) 현재 주택용으로 사용하고 있어 재산세 과세대장상 주택분으로 재산세가 과세되고 있는 주거용 오피스텔인 경우에만 주택 수 산정 시에 소유주택 수에 포함됩니다.

　오피스텔 재산세 부과내용에 대한 확인은 '지방세세목별 과세증명서'로 확인이 가능하며, 인터넷을 이용하여 위택스(www.wetax.go.kr) 또는 정부24(http://www.gov.kr)를 통하여 발급하거나, 가까운 구청 및 주민센터를 방문하여 발급받을 수 있습니다.

○ 오피스텔의 재산세 과세대상 변경 신고

　오피스텔의 경우 보통 공부상 용도에 따라 오피스텔(업무시설)로 재산세가 부과되나, 실제 주거용으로 사용되고 있는 경우에는 주거용으로 '과세대상 변경신고'를 할 수 있습니다. 다만, 오피스텔에 대하여 주거용으로 '과세대상 변경신고'를 하게 되는 경우 해당 오피스텔이 종합부동산세 합산과세대상이 됨으로 이 부분에 대한 유의를 필요로 합니다.

※ 주거용 오피스텔인 경우에 상업용 오피스텔인 경우보다 재산세 부담액이 감소합니다.

Q 주택 수 산정에서 제외되는 1억 원 이하 주택에 입주권, 분양권, 오피스텔이 포함되나요?

A 입주권, 분양권은 그 가액과 무관하게 주택 수에 포함하고, 오피스텔의 경우 시가표준액*이 1억 원 이하인 경우 주택 수에서 제외합니다.

* 오피스텔의 '건축물 시가표준액'과 '부속토지의 시가표준액(공시지가)'의 합

TIP

○ 주택 수 산정 시 포함 여부

2020년 8월 12일 이후 취득하는 **입주권, 분양권, 주거용 오피스텔**은 취득세 주택 수 계산 시에 포함하여 계산합니다. 다만, 8월 11일 이전에 취득하거나, 매매(분양)계약을 체결한 경우에는 주택 수에 포함되지 않습니다.

○ 시가표준액의 확인방법

구 분	시가표준액	공시시기	확인처
주택 및 토지	공동주택가격	4월 말경	* 부동산공시가격 알리미
	개별주택가격	4월 말경	
	개별공시지가	5월 말경	
오피스텔	시가표준액		* 이택스(서울시) 및 위택스

Q 중과세율과 주택 수에서 산정되지 않는 것은 무엇인가요?

A 취득세 중과세율적용과 주택 수에 산정되지 않는 것은 아래와 같습니다.

구 분	내 용
공시가격 1억 원 이하 주택	공시가격이 1억 원 이하인 주택. 단, 재개발 구역 등은 제외
노인복지주택, 가정용어린이집	노인복지주택, 가정용어린이집의 용도로 운영하기 위하여 취득하는 주택
사원용 주택	사원에게 임대할 목적으로 취득하는 주택. 단, 특수관계인 및 과점주주에 대한 임대는 제외
공공지원임대주택	공공주택사업자가 공공지원임대주택으로 사용하기 위하여 취득하는 주택
국가등록문화재	「문화재보호법」에 따라 국가등록문화재로 등록된 주택
재개발사업을 위한 멸실목적의 주택	재개발사업을 진행하기 위하여 멸실을 목적으로 취득하는 주택
미분양된 주택	「건축법」, 「주택법」에 따른 시공자가 주택의 공사대금으로 받은 미분양 주택
농어촌주택	요건을 충족하는 농어촌주택
주택건설사업자가 신축한 주택	주택 공급사업 과정에서 취득하는 미분양된 주택
상속주택	상속을 원인으로 취득한 주택 등으로서 상속개시일로부터 5년 이내의 주택

TIP

○ 사원용 주택

사원용 주택을 과점주주 또는 특수관계인에 해당하는 자에게 제공하는 경우에는 취득세가 추징됩니다. 또한, 정당한 사유 없이 취득일로부터 1년이 경과할 때까지 정해진 용도로 사용하지 않거나,

직접 사용한 기간이 3년 미만인 상태에서 매각 등을 하는 경우에도 과소납부한 취득세에 대하여 추징됩니다.

○ 노인복지주택, 가정용어린이집

정당한 사유 없이 취득일로부터 1년이 경과할 때까지 정해진 용도로 사용하지 않거나, 직접 사용한 기간이 3년 미만인 상태에서 매각 등을 하는 경우에는 과소납부한 취득세에 대하여 추징됩니다.

Ⅲ. 취득세율의 적용

> Q 개정된 취득세율은 어떻게 되나요?
>
> A 개정된 취득세율은 다음과 같습니다.

구 분	무주택에서 1주택	1주택에서 2주택	2주택에서 3주택	3주택에서 4주택 이상
조정대상지역	1~3%	8%*	12%	12%
비조정대상지역	1~3%	1~3%	8%	12%
법인	12%4)			

* 다만, 일시적 2주택에 해당하는 경우에는 **1~3%**의 세율을 적용

TIP

○ 취득세율의 적용

취득세율을 적용하는 순서는 기존에 소유하고 있는 주택의 소재지(규제지역 여부)와 관계없이 다음의 순서에 따라 취득세율을 적용합니다. 단, 2020년 8월 12일 이후 취득하는 분부터 적용하되, 2020년 7월 10일 이전에 계약(계약금 지급)을 한 경우에는 종전규정에 따른 세율(1~3%, 4주택자의 경우 4%)을 적용합니다.

① 새로 취득하는 주택이 몇 번째로 취득하는 주택(세대별 주택 수)인지를 판단

② 새로 취득하는 주택의 소재지가 조정대상지역 및 비조정대상지역인지 여부에 따라 그 취득세율을 적용합니다.

---

4) 법인의 경우 취득하는 주택 수와 관계없이 12%의 취득세율을 적용

【예시】

▷ 조정대상지역에서 1주택을 소유하고 있는 **甲**이 조정대상지역에 추
  가로 주택을 취득하는 경우

  ① 새로 취득하는 주택: 2번째 주택

  ② 신규 주택 소재지: 조정대상지역

▶ 조정대상지역에 취득하는 주택이 2번째 주택이므로 8%가 적용됩
  니다.

Q 오피스텔도 취득세가 중과되나요?

A 오피스텔 자체는 취득세가 중과되지 않습니다.

TIP

○ 오피스텔을 과세하지 않는 이유

취득세 중과가 되는 대상은 「주택법」상 주택만을 의미하므로, 오
피스텔은 「주택법」상 주택이 아닌 준주택에 해당함에 따라 그 취득
세율 중과의 대상이 아니며, 취득 시점에는 그 오피스텔의 용도가
주거용 또는 상업용인지가 확정되지 아니하므로 일반적인 유상취
득의 적용세율인 4%의 취득세율이 적용됩니다.

다만, 추가로 주택을 취득하는 때에는 해당 오피스텔의 용도가
주거용 또는 상업용으로 확정이 된 상태이기 때문에 추가로 취득하
는 주택의 취득세율에 영향을 미칠 수 있습니다.

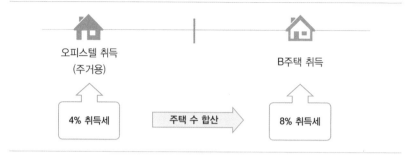

오피스텔 취득
(주거용)

4% 취득세

주택 수 합산

B주택 취득

8% 취득세

4. "준주택"이란 주택 외의 건축물과 그 부속토지로서 주거시설로 이용 가능한 시설 등을 말하며, 그 범위와 종류는 대통령령으로 정한다.

4. 「건축법 시행령」 별표 1 제14호 나목2)에 따른 오피스텔

○ 도시형 생활주택

일반적으로 도시형 생활주택의 경우 오피스텔과 비슷하다고 생각하기 쉽지만, 오피스텔은 「주택법」상 준주택으로 분류되는 반면에 도시형 생활주택은 「주택법」상 주택에 해당하므로 오피스텔과는 달리 취득시점에 주택에 따른 중과취득세율을 검토하여야 합니다. 또한, 이후에 추가로 주택을 취득하는 경우 주택 수에 포함하여 산정됩니다.

20. "도시형 생활주택"이란 300세대 미만의 국민주택규모에 해당하는 주택으로서 대통령령으로 정하는 주택을 말한다.

Q 분양권 및 입주권도 취득세가 중과되나요?

A 분양권 및 입주권 자체는 취득세가 중과의 대상이 되지 않으며, 실제로 주택을 취득하는 때에 주택에 대한 취득세가 부과됩니다.

TIP

○ 입주권의 취득세율

입주권 중 **승계조합원의 입주권**은 다음의 구분에 따라 그 취득세율 적용이 달라집니다.

취득 시점	주택 철거 전	주택 철거 후	
		공부상(건축물대장상) 존재하는 경우	공부상(건축물대장상) 존재하지 않는 경우
내 용	주택의 취득으로 보아 주택에 대한 취득세율을 적용함.	원칙적으로 주택의 취득이나, 입증함으로써 토지에 대한 취득세율을 적용받을 수 있음.	토지의 취득으로 보아 토지에 대한 취득세율을 적용함.
취득 세율	1~3%, 8%, 12% (취득세율 판단 必)	4% (입증책임 有*)	4%

* 주택 철거(멸실)의 입증자료
   ① 건축물대장 멸실 ② 철거사진 ③ 조합철거확인증 ④ 단전・단수와 관련한 서류

Ⅳ. 증여 취득세율 적용

> **Q** 주택을 증여한 경우라면 취득세율이 어떻게 되나요?
>
> **A** 2020년 8월 12일 이후 조정대상지역에서 시가표준액이 3억 원 이상인 주택을 증여받은 경우 12% 세율이 적용됩니다.

○ 증여로 취득하는 주택의 취득세율

2020년 8월 12일 이후 조정대상지역 내에서 증여를 원인으로 시가표준액이 3억 원 이상인 주택을 취득하는 경우 12%의 취득세율을 적용합니다.

구 분	시가표준액	취득세율
조정대상지역	3억 원 이상	12%
	3억 원 미만	3.5%
비조정대상지역	가액 무관	3.5%

○ 예외

아래의 경우에는 중과된 취득세율인 12%가 아닌 3.5%의 세율이 적용됩니다.

① 조정대상지역 내 시가표준액이 3억 원 미만인 주택을 증여받는 경우

② 비조정대상지역의 주택을 증여받는 경우

③ 1세대 1주택을 소유한 자로부터 배우자나 직계존비속이 증여받는 경우

V. 일시적 2주택

> **Q** 이사를 가기 위하여 새로운 주택을 취득한 경우 취득세가 중과되나요?
>
> **A** 거주지를 이전하기 위하여 신규주택을 취득함으로써 일시적으로 2주택자가 된 경우에는 주택의 취득에 대하여 중과세율이 적용되지 않습니다.

TIP

○ 일시적 2주택의 적용 요건

주거를 이전함으로써 일시적으로 신규주택을 취득하는 것은 부동산 투기로 보기 어려움으로, 다음의 요건을 모두 갖춘 경우에는 신규로 취득하는 주택에 대하여 중과취득세율이 적용되지 않습니다.

취득세의 '일시적 2주택 특례세율'을 적용받기 위해서는 '종전주택'(주택, 입주권, 분양권, 오피스텔) 1개를 소유한 1세대가 '신규주택'을 추가로 취득하고, '신규주택'을 취득한 후 3년(신규주택의 취득 당시에 종전주택과 신규주택이 모두 조정대상지역에 있는 경우 1년) 이내에 '종전주택'을 처분하는 경우에는 중과세율이 적용되지 않습니다.

다만, '신규주택'을 취득한 후 3년(1년) 이내에 처분하지 않은 경우 당초 납부했어야 할 세액과의 차액 및 미납세액에 대한 가산세를 포함하여 납부하여야 합니다.

<처분기한>

종전주택	신규주택	기존주택 처분기한
비조정	비조정	3년
비조정	조정	
조정	비조정	
조정	조정	1년

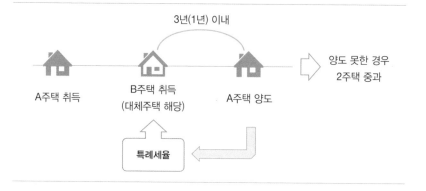

※ 양도소득세 '일시적 2주택' 특례규정과의 차이점

「소득세법」에 규정된 '일시적 2주택 특례'(소득세법 제155조 제1항)의 경우 취득세와 달리 다음의 요건이 추가됩니다. 따라서, 「소득세법」에 따른 '일시적 2주택 특례'가 적용되는 경우에는 취득세의 중과세율 적용 배제요건 또한 충족됩니다.

① '종전주택'의 취득한 날로부터 1년 이상이 지난 후에 '신규주택'을 취득할 것

② 취득 당시 '종전주택'과 '신규주택'이 모두 조정대상지역 내인 경우 '신규주택'의 취득일로부터 1년 이내에 '신규주택'으로 세대 전원이 이사할 것

VI. 경과조치 등

Q 2020년 8월 11일 이전에 취득한 입주권, 분양권, 오피스텔의 경우에도 주택 수에 포함되나요?

A 2020년 8월 11일 이전에 취득한 입주권, 분양권, 오피스텔의 경우 주택 수 산정에 제외되며, 취득일이 2020년 8월 12일 이후일지라도 2020년 8월 11일 이전에 매매계약을 체결한 경우, 주택 수 산정에서 제외됩니다.

TIP

○ 경과규정에 따른 주택 수에서 제외되는 주택

「지방세법」 및 「지방세법 시행령」상의 〈부칙〉에 따라 2020년 8월 11일 이전에 취득(잔금청산일 또는 등기접수일 중 빠른 날)하거나, 매매계약을 체결한 입주권, 분양권, 오피스텔의 경우에는 주택 수 산정 시 제외합니다.

> **지방세법 부칙 〈법률 제17473호, 2020. 08. 12.〉**
>
> 제3조(주택 수의 판단 범위에 관한 적용례)
> 제13조의3 제2호부터 제4호까지의 개정규정은 이 법 시행 이후 조합원입주권, 주택분양권 및 오피스텔을 취득하는 분부터 적용한다.
> 제7조(주택 수의 판단 범위에 관한 경과조치)
> **부칙 제3조에도 불구하고 제13조의3 제2호부터 제4호까지의 개정규정은** 이 법 시행 전에 매매계약(오피스텔 분양계약을 포함한다)을 체결한 경우는 적용하지 아니한다.

지방세법 시행령 부칙 〈대통령령 제30939호, 2020. 08. 12.〉

제2조(조합원입주권 또는 주택분양권에 의하여 취득하는 주택에 관한 적용례)

제28조의4 제1항 후단의 개정규정은 이 영 시행 이후 조합원입주권 또는 주택분양권을 취득하는 경우부터 적용한다.

Ⓠ 2020년 7월 10일 이전에 주택을 매매계약하고 계약금을 지급한 경우에도 바뀐 세율이 적용되나요?

Ⓐ 2020년 7월 10일 이전에 주택을 매매계약하고, 계약금을 지급한 때에는 종전의 취득세율을 적용합니다.

○ 개정된 중과취득세율의 적용시기

2020년 7월 10일 이전에 매매계약을 체결하고, 그 계약금을 지급한 사실이 증빙서류로 확인되는 경우에는 시행일(20. 08. 12.) 이후에 취득하는 주택 등이라 하더라도 그 종전의 취득세율을 적용합니다.

<증빙서류>

ⓐ 부동산 실거래 신고내역

ⓑ 계약금과 관련한 금융거래내역

ⓒ 시행사와의 분양계약서 등

<종전의 취득세율>

주택 수	구 분	세 율
1주택	6억 원 이하	1%
2주택	6억 원 초과 9억 원 이하	2%
3주택	9억 원 초과	3%
4주택	4%	

20. 07. 08.　　　　　20. 08. 12.　　　　　20. 09. 12.

계약 및 계약금 지급　　(개정)지방세법 시행일　　　잔금 및 등기
　　　　　　　　　　　　　　　　　　　　　　※ 취득세 중과대상 X

지방세법 부칙 〈법률 제17473호, 2020. 08. 12.〉

제6조(법인의 주택 취득 등 중과에 대한 경과조치) **제13조 제2항 및 제13조의2의 개정규정**을 적용할 때 법인 및 국내에 주택을 1개 이상 소유하고 있는 1세대가 2020년 7월 10일 이전에 주택에 대한 매매계약(공동주택 분양계약을 포함한다)을 체결한 경우에는 그 계약을 체결한 당사자의 해당 주택의 취득에 대하여 종전의 규정을 적용한다. 다만, 해당 계약이 계약금을 지급한 사실 등이 증빙서류에 의하여 확인되는 경우에 한정한다.

Ⅶ. 법인의 부동산 취득

> ⓠ 법인이 비조정대상지역에서 주택을 취득한 경우 취득세가 중과되나
> 요?
>
> ⓐ 취득세율의 적용 기준은 조정대상지역과 비조정대상지역 여부와 관
> 계없이 12% 세율이 적용됩니다.

TIP

취득세율의 적용 기준은 조정대상지역과 비조정대상지역 여부와
관계없이 12% 세율이 적용됩니다.

단, 2020년 8월 12일 이후 취득하는 분부터 적용하되, 2020년 7월
10일 이전 계약 분은 종전규정이 적용됩니다.

○ 2020년 7월 10일 이후에 취득하는 주택의 취득세율

구 분	무주택에서 1주택	1주택에서 2주택	2주택에서 3주택	3주택에서 4주택 이상
법인	12%[5]			

---

5) 법인의 경우 취득하는 주택 수와 관계없이 12%의 취득세율을 적용

○ 2020년 7월 10일 이전에 취득한 주택의 취득세율

주택 수	구 분	세 율
1주택	6억 원 이하	1%
2주택	6억 원 초과 9억 원 이하	2%
3주택	9억 원 초과	3%
4주택	4%	

지방세법 제13조의2(법인의 주택 취득 등 중과)

1. 법인(「국세기본법」 제13조에 따른 법인으로 보는 단체, 「부동산등기법」 제49조 제1항 제3호에 따른 법인 아닌 사단·재단 등 개인이 아닌 자를 포함한다. 이하 이 조 및 제151조에서 같다)의 주택을 취득하는 경우: 제11조 제1항 제7호 나목의 세율을 표준세율로 하여 해당 세율에 중과기준세율의 100분의 400을 합한 세율

지방세법 부칙 〈법률 제17473호, 2020. 08. 12.〉

제6조(법인의 주택 취득 등 중과에 대한 경과조치) 〈생략〉 법인 및 국내에 주택을 1개 이상 소유하고 있는 1세대가 2020년 7월 10일 이전에 주택에 대한 매매계약(공동주택 분양계약을 포함한다)을 체결한 경우에는 그 계약을 체결한 당사자의 해당 주택의 취득에 대하여 종전의 규정을 적용한다. 다만, 해당 계약이 계약금을 지급한 사실 등이 증빙서류에 의하여 확인되는 경우에 한정한다.

PART
2

보유단계

종합부동산세

1 서 설

　보유단계에서 발생하는 세금은 보유세(재산세, 종부세)와 소득세가 있습니다. 일반적인 과세물건의 경우에 재산세 최고세율이 0.4~0.5%이므로 부담이 되는 세목이 아닙니다. 그러나 종합부동산세 중 주택분에 대해서는 공시가격 현실화와 공정시장가액비율을 연도별로 상향조정하여 과세표준을 상향시키고 2019년 12월 16일 대책과 2020년 7월 10일 대책을 거치면서 세율을 올려 최고세율 구간에서는 6%의 세율을 부과하고 있으므로, 최근에는 부동산 투자 시 투자전략단계에서부터 고려해야 할 세목입니다.

　또한 일정한 요건을 갖춘 경우 종합부동산세합산배제 규정을 적용받을 수 있으므로, 합산배제에 대한 내용도 확인이 필요합니다.

이하에서는 주택분 종합부동산세 계산구조와 과세방법에 대하여 설명하고자 합니다.

② 종합부동산세 계산구조

📋 종합부동산세 계산구조

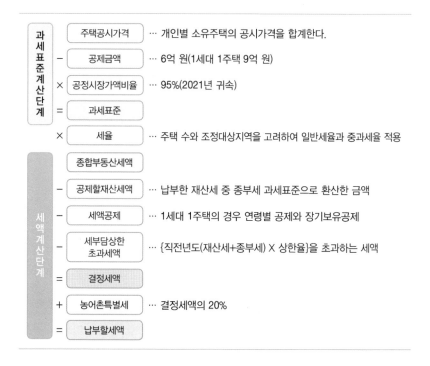

과세표준계산단계	주택공시가격	… 개인별 소유주택의 공시가격을 합계한다.
	− 공제금액	… 6억 원(1세대 1주택 9억 원)
	× 공정시장가액비율	… 95%(2021년 귀속)
	= 과세표준	
	× 세율	… 주택 수와 조정대상지역을 고려하여 일반세율과 중과세율 적용
세액계산단계	종합부동산세액	
	− 공제할재산세액	… 납부한 재산세 중 종부세 과세표준으로 환산한 금액
	− 세액공제	… 1세대 1주택의 경우 연령별 공제와 장기보유공제
	− 세부담상한 초과세액	… {직전년도(재산세+종부세) X 상한율}을 초과하는 세액
	= 결정세액	
	+ 농어촌특별세	… 결정세액의 20%
	= 납부할세액	

📋 세율

과세표준	일반세율 2주택 이하 (조정대상지역 2주택 제외)	중과세율 3주택 이상 (조정대상지역 2주택 포함)
3억 원 이하	0.6%	1.2%
~6억 원 이하	180만 원+ (3억 원 초과분의 0.8%)	360만 원+ (3억 원 초과분의 1.6%)
~12억 원 이하	420만 원+ (6억 원 초과분의 1.2%)	840만 원+ (6억 원 초과분의 2.2%)
~50억 원 이하	1,140만 원+ (12억 원 초과분의 1.6%)	2,160만 원+ (12억 원 초과분의 3.6%)
~94억 원 이하	7,220만 원+ (50억 원 초과분의 2.2%)	15,840만 원+ (50억 원 초과분의 5%)
94억 원 초과	16,900만 원+ (94억 원 초과분의 3%)	37,840만 원+ (94억 원 초과분의 6%)

③ 과세방법

📋 납세의무자

과세기준일(매년 6월 1일) 현재 재산세 납세의무자로서 국내에 있는 과세유형별 공시가격 합계액이 다음에 해당하는 공제금액을 초과하는 납세의무자를 말합니다.

과세유형별 구분	공제금액
주택	6억 원(1세대 1주택자 9억 원)
종합합산대상토지	5억 원
별도합산대상토지	80억 원

📑 과세대상

주택(부수토지 포함), 종합합산토지, 별도합산토지

📑 납부

가. 납부기간

매년 12월 1일~12월 15일까지 납부하여야 합니다(다만, 납부기한이 토요일, 공휴일인 경우에는 그 다음에 도래하는 첫 번째 평일을 기한으로 합니다).

나. 납부방법

세금 납부는 직접 금융기관에 납부하거나 홈택스 접속을 통해 전자납부 또는 스마트폰(앱)을 이용하여 납부가 가능합니다.

다. 합산배제대상주택 신고

합산배제대상주택에 해당하여 배제대상으로 신청하려는 경우 9월 30일까지 신청하여야 합니다.

📑 가산세

가. 납부관련 가산세

납부기한까지 납부를 하지 아니하거나, 납부할 세액보다 적게 납부한 경우 연체이자 성격의 다음에 따른 납부지연가산세가 부과됩니다.

구 분	가산세액
납부지연가산세	미납부세액(과소납부세액) × 미납일수 × 2.5/10,000

문답(問答)으로
풀어보는 주택세금

I. 1세대 1주택자

Q 부부 공동으로 1주택을 보유(다른 세대원은 보유주택 없음)하는 경우 부부 모두 세액공제를 적용받을 수 있나요?

A 부부 공동으로 보유하고 있는 경우 1주택으로 보는 특례를 적용하는 경우에만 세액공제를 적용할 수 있습니다. 각각 1주택으로 보는 경우를 선택한 경우 세액공제는 적용받을 수 없습니다.

TIP

○ 공동 소유 시 주택 수 판정

종합부동산세법은 개인별로 과세하는 인(人)별 과세 세목입니다. 따라서 주택 수 또한 인별로 계산하는 것이 원칙이지만, 공동으로 소유하고 있는 경우 공동소유자 각자가 소유한 것으로 봅니다.

부부가 1주택을 50%씩 소유한 경우라면, 부부 모두 조정대상지역 1주택자에 해당합니다. 또한 1세대 안에서 두 명이 각각 1주택을 보유하고 있으므로, 1세대 1주택자가 아닌 결과가 발생합니다.

제2조의3(1세대 1주택의 범위)

① 법 제8조 제1항 본문에서 "대통령령으로 정하는 1세대 1주택자"란 세대원 중 1명만이 주택분 재산세 과세대상인 1주택만을 소유한 경우로서 그 주택을 소유한 「소득세법」 제1조의2 제1항 제1호에 따른 거주자를 말한다.

종합부동산세 시행령 제4조의2
(주택분 종합부동산세에서 공제되는 재산세액의 계산)

③ 법 제9조 제1항에 따라 주택분 종합부동산세액을 계산할 때 적용해야 하는 주택 수는 다음 각 호에 따라 계산한다.
1. 1주택을 여러 사람이 공동으로 소유한 경우 공동 소유자 각자가 그 주택을 소유한 것으로 본다. 다만, 상속을 통해 공동 소유한 주택은 과세기준일 현재 다음 각 목의 요건을 모두 갖춘 경우에만 주택 수에서 제외한다.
   가. 주택에 대한 소유 지분율이 20퍼센트 이하일 것
   나. 소유 지분율에 상당하는 공시가격이 3억 원 이하일 것
2. 「건축법 시행령」 별표 1 제1호 다목에 따른 다가구주택은 1주택으로 본다.
3. 제3조 제1항 각 호 및 제4조 제1항 각 호에 해당하는 주택은 주택 수에 포함하지 않는다.

공동소유 주택은 각자 소유한 것으로 본다는 규정에 따라, 부부가 공동으로 소유하고 있는 경우에는 각각 1주택자가 되고, 1세대 1주택에 해당하지 않으므로 세액공제를 적용받을 수 없습니다. 따라서 주택을 부부가 공동명의로 장기간 보유할 경우 오히려 조세부담이 불리해지는 문제점이 있었습니다. 이를 개선하고자 1세대 1주택 부부 공동 소유자도 장기보유 세액공제와 고령자공제를 선택하

여 적용받을 수 있도록 세법이 개정되었습니다.

추가로, 부부가 조정대상지역 2주택을 각각 50%씩 보유한 경우, 부부 모두 2주택 소유자로서 중과세율 적용대상자입니다.

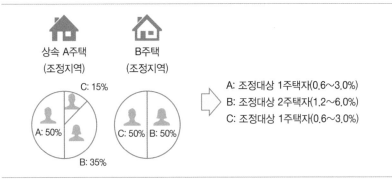

한 개의 주택이 상속주택인 경우 A, B 모두 2주택자에 해당하나, C의 경우에는 상속주택 A의 지분율이 20% 미만인 15%에 해당하므로 주택 수에서 제외됩니다. 따라서 공동소유하고 있는 C주택만 주택 수에 포함되어 조정대상지역 1주택자에 해당합니다.

○ 1세대 1주택자인 경우 선택사항

1세대 1주택자이고 종합부동산세 과세대상인 경우, 다음의 두 가지 방법 중 하나를 선택하여 세부담에 유리한 것을 선택하여 납부할 수 있습니다.

ⓐ 1세대 1주택으로 보아 9억 원을 공제하고, 추가세액공제를 적용하는 경우

ⓑ 1세대 2주택으로 보아 각각 6억 원(총 12억 원)을 공제하고, 추가세액공제를 적용하지 않는 경우

○ 세금비교

고령자공제와 장기보유공제를 적용한 최종납부세액과 세액공제를 적용하지 않은 최종납부세액을 비교하여 어떤 대안이 최종적으로 부담하는 세액이 낮아지는지 확인해야 합니다.

주택을 새로 취득하는 경우 장기보유공제를 적용받으려면 최소 5년 이상 보유하여야 하므로, 공동명의로 각자가 기본공제 6억 원씩(합계 12억 원)을 받는 경우가 세부담 측면에서 유리합니다.

또한 각자의 지분비율대로 과세표준이 분산되는 효과도 있어서 낮은 한계세율을 적용받을 수 있는 장점이 있습니다.

1세대 1주택 부부공동소유의 경우 최근 부동산가격의 급등과 세율 상향조정으로 장기간 보유한 고령자 부부들에게 주로 발생하는 문제점으로, 신규로 주택을 취득하는 경우에는 공동명의가 종합부동산세 세부담 최소화 목적에 적합하다고 판단됩니다.

【예시】최대공제를 받을 수 있는 경우

공시가액 15억 원, 공동명의(5 : 5), 나이 65세, 보유기간 15년

구 분	단독으로 계산	공동으로 계산
공시가격 합계	1,500,000,000원	1,500,000,000원
공제금액	900,000,000원	1,200,000,000원
공정시장가액비율	95%	95%
과세표준	570,000,000원	285,000,000원
산출세액	2,592,000원	1,026,000원
세액공제(고령자)	30%	-
세액공제(장기보유공제)	50%	-
결정세액	518,400원	1,026,000원

【예시】최대공제를 못 받는 경우

공시가액 15억 원 공동명의(5 : 5), 나이 43세, 보유기간 7년

구 분	단독으로 계산	공동으로 계산
공시가격 합계	1,500,000,000원	1,500,000,000원
공제금액	900,00,000원	1,200,000,000원
공정시장가액비율	95%	95%
과세표준	570,000,000원	285,000,000원
산출세액	2,592,000원	1,026,000원
세액공제(고령자)	-	-
세액공제(장기보유공제)	20%	-
결정세액	2,073,600원	1,026,000원

Ⅱ. 중과세율

ⓠ 조정대상지역에 2주택을 보유하던 상태에서 10월 1일 주택 1호가 조정대상지역에서 해제된 경우 일반세율을 적용받나요?

ⓐ 조정대상지역 판정은 과세기준일(6월 1일) 현재를 기준으로 적용하므로 '20년에는 조정대상지역 2주택자에 해당하며, '21년 귀속분 부과 시에는 일반 2주택자 세율이 적용됩니다.

TIP

종합부동산세는 재산세와 같이 납세의무의 성립일인 과세기준일 (6월 1일) 현재의 상황을 기준으로 주택 수를 판단하고 세율이 정해집니다.

○ 과세기준일 이후 조정대상지역에 지정된 경우

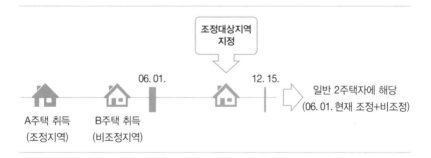

6월 1일 현재 A주택이 조정대상지역, B주택이 비조정대상지역에 해당하므로 사후에 B주택이 조정대상지역으로 지정된 경우에도 중과세율(1.2~6.0%)이 적용되지 않고, 일반세율(0.6~3.0%)이 적용됩니다.

○ 과세기준일 이후 조정대상지역에서 해제된 경우

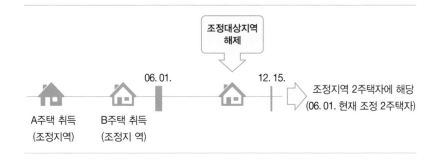

　　반대로 1호의 주택이 조정대상지역으로 6월 1일 이후에 해제된
경우라도 과세기준일 현재 조정지역에 모두 있기 때문에, 중과세율
(1.2~6.0%)이 적용됩니다.

○ 과세기준일 이후 주택 수가 변동된 경우

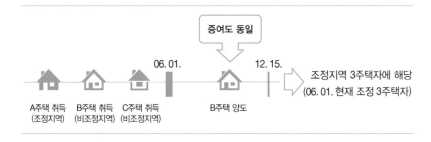

　　과세기준일 이후 주택이 변동된 경우에도 똑같이 적용됩니다. A,
B, C주택이 조정대상지역에 있고, B주택이 6월 1일 이후에 매도하
여 소유권 변동이 된 경우라도, 6월 1일 현재 보유하고 있으므로 주
택 수에 포함됩니다. 따라서 위 경우는 중과세율이 적용됩니다.

위의 경우에는 종합부동산세를 12월에 납부하므로 현재 B주택이 없으므로 2주택 일반세율을 적용받을 것 같지만, 과세기준일 6월 1일 현재 3주택자에 해당하므로 중과세율(1.2~6.0%)이 적용됩니다.

○ 과세기준일 이후 합산배제대상이 변동된 경우

합산배제대상이 되는 단기민간임대주택이 6월 1일 이후 임대의 무기간 만료로 임대사업자 등록이 직권 말소된 경우, 과세기준일 현재 사업자등록(임대사업자등록) 등 요건을 충족하였으므로 합산 배제대상이 됩니다.

○ 중과세율과 일반세율의 산출세액 차이

【예시】 조정대상지역 2주택자인 경우와 비조정대상지역 2주택자(조정대상지역 1주택과 비조정대상지역 1주택인 경우 포함)인 경우를 가정하여 2021년도에 부과될 종합부동산세액은 다음과 같습니다(각 주택의 공시가격은 25억 원, 5억 원인 것을 가정).

구 분	조정대상지역 2주택자	일반 2주택자
공시가격 합계	3,000,000,000원	3,000,000,000원
공제금액	600,000,000원	600,000,000원
공정시장가액비율	95%	95%

구 분	조정대상지역 2주택자	일반 2주택자
과세표준	2,280,000,000원	2,280,000,000원
세율	3.6%	1.6%
종합부동산세액	60,480,000원	28,680,000원
공제할 재산세액	4,947,288원	4,947,288원
산출세액	55,532,712원	23,732,712원
결정세액	55,532,712원	23,732,712원
농어촌특별세	11,106,542원	4,746,542원
납부할세액	66,639,255원	28,479,255원

【예시】 비조정대상지역에서 3주택을 소유하는 자가 종합부동산세합산배제가 적용되는 1주택이 존재하는 경우 2021년도에 부과될 종합부동산세액 은 다음과 같습니다(각 주택의 공시가격은 5억 원인 것을 가정).

구 분	3주택 보유(중과세율)	비조정 2주택보유 (일반세율)
공시가격 합계	1,500,000,000원	1,000,000,000원
공제금액	600,000,000원	600,000,000원
공정시장가액비율	95%	95%
과세표준	855,000,000원	380,000,000원
세율	2.2%	0.8%
종합부동산세액	14,010,000원	2,440,000원
공제할 재산세액	1,181,455원	587,390원
산출세액	12,828,545원	1,852,610원
결정세액	12,828,545원	1,852,610원
농어촌특별세	2,565,709원	370,522원
납부할세액	15,394,255원	2,223,132원

※ 비조정대상지역에서 3주택을 소유하는 중과세율 대상자가 주택 1호를 임대사업자 등록하고, 해당 임대주택이 합산배제 요건을 충족하여 일반세율을 적용받는 경우 1) 과세표준이 줄어드는 효과와 2) 일반세율적용 효과가 동시에 발생하게 됩니다.

Ⅲ. 합산배제대상주택

> ⓠ 합산배제주택이란 무엇인가요?
>
> ⓐ 종합부동산세 과세대상이 아닌 주택을 말합니다.

TIP

○ 합산배제

　종합부동산세는 고액의 부동산을 소유하고 있는 자에게 부과하는 세금을 말합니다. 부동산가격 안정을 도모하기 위해 규정된 세금입니다.

　종합부동산세 과세대상은 주택, 토지가 대상입니다. 재산세 부과 시 토지는 그 목적에 따라 종합합산대상토지. 별도합산대상토지, 분리과세토지로 나뉘고(분리과세토지는 종합부동산세 과세대상이 아닙니다.) 공시가격이 유형별로 공제금액을 초과하는 경우 종합부동산세 과세대상이 됩니다.

　종합부동산세 과세대상주택은 국내에 있는 주택의 공시가격을 모두 합산하여 과세하는데, 합산배제주택은 정책적 목적 등으로 종합부동산세 과세대상에서 제외시켜주는 주택입니다.

<합산배제대상주택 범위>

구 분	근거법령	유 형
합산배제 임대주택 등	종부세법 시행령 제3조	민간임대주택, 공공임대주택 요건을 갖춘 다가구임대주택 등
합산배제 사원용주택 등	종부세법 시행령 제4조	기숙사 등 사택, 미분양주택, 가정어린이용 주택, 수도권 외 지역에 소재하는 1주택 등

【예시】 합산배제주택 여부에 따른 세금 비교

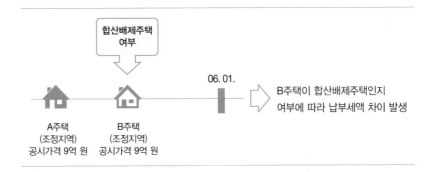

계산과정	합산배제대상인 경우	조정 2채 보유(중과세율)
공시가격 합계	900,000,000원	1,800,000,000원
공제금액	900,000,000원	600,000,000원
공정시장가액비율	95%	95%
과세표준	-	1,140,000,000원
세율	-	
종합부동산세액	-	20,280,000원
공제할 재산세액	-	2,268,878원
산출세액	-	18,011,122원
결정세액	-	18,011,122원
농어촌특별세	-	3,602,224원
납부할세액		21,613,346원

> **Q** 합산배제되는 매입임대주택은 무엇이 있나요?
>
> **A** 현재 임대등록으로 합산배제를 적용받을 수 있는 주택은 요건을 갖춘 장기임대주택과 7월 11일 이전 장기임대주택으로 변경 신고한 단기임대주택이 있습니다.

TIP

○ 10(8)년 장기매입임대주택

합산배제대상이 되는 장기매입임대주택은 다음과 같습니다.

ⓐ 2018년 9월 13일 이전에 취득한 주택(2018년 9월 13일 이전 계약체결분 포함)

ⓑ 2018년 9월 14일 이후 취득한 1세대 1주택자가 추가로 취득한 비조정대상지역 주택(조정대상지역 공고 전 계약체결분 포함)

단, 아파트의 경우 2020년 7월 11일부터 장기임대주택 사업자등록이 불가합니다.

○ 4년 단기매입임대주택

현재 등록 가능한 단기매입임대주택은 합산배제되는 주택은 없습니다. 다만, 단기매입임대주택을 장기매입임대주택으로 7월 10일까지 변경 신고한 경우에는 합산배제대상이 됩니다.

○ 아파트

2020년 7월 11일 이후부터는 아파트의 경우 장기매입임대주택 등 모든 임대등록을 할 수가 없습니다. 하지만, 7월 10일까지 등록한 장기매입임대주택은 합산배제가 가능합니다.

실무에서는 2020년 7월 10일 등록 신청한 경우에도 임대사업자 등록증 변경연월일에 2020 - 07 - 20 등으로 실제 신청일자가 아닌 날짜가 등록일자 기준으로 기재됩니다.

변경사유란에 신규라고 기재되고 있으므로 2020년 7월 10일 기재되어 있는 임대사업자 등록변경신청서를 신청서 또는 출력물을 보관하기도 합니다.

제3조(합산배제 임대주택)

① 법 제8조 제2항 제1호에서 "대통령령으로 정하는 주택"이란 「공공주택특별법」 제4조에 따른 공공주택사업자 또는 「민간임대주택에 관한 특별법」 제2조 제7호에 따른 임대사업자(이하 "임대사업자"라 한다)로서 과세기준일 현재 「소득세법」 제168조 또는 「법인세법」 제111조에 따른 주택임대업 사업자등록(이하 이 조에서 "사업자등록"이라 한다)을 한 자가 과세기준일 현재 임대(제1호부터 제3호까지, 제5호부터 제8호까지의 주택을 임대한 경우를 말한다)하거나 소유(제4호의 주택을 소유한 경우를 말한다)하고 있는 다음 각 호의 어느 하나에 해당하는 주택(이하 "합산배제 임대주택"이라 한다)을 말한다. 이 경우 과세기준일 현재 임대를 개시한 자가 법 제8조 제3항에 따른 합산배제 신고기간 종료일까지 임대사업자로서 사업자등록을 하는 경우에는 해당 연도 과세기준일 현재 임대사업자로서 사업자등록을 한 것으로 본다.

1. 「민간임대주택에 관한 특별법」 제2조 제2호에 따른 민간건설임대주택과 「공공주택 특별법」 제2조 제1호의2에 따른 공공건설임대주택(이하 이 조에서 "건설임대주택"이라 한다)으로서 다음 각 목의 요건을 모두 갖춘 주택이 2호 이상인 경우 그 주택. 다만, 「민간임대주택에 관한 특별법」 제2조 제2호에 따른 민간건설 임대주택의 경우에는 2018년 3월 31일 이전에 같은 법 제5조에 따른 임대사업자 등록과 사업자등록(이하 이 조에

서 "사업자등록등"이라 한다)을 한 주택으로 한정한다.

2. 「민간임대주택에 관한 특별법」 제2조 제3호에 따른 민간매입임대주택과 「공공주택 특별법」 제2조 제1호의3에 따른 공공매입임대주택(이하 이 조에서 "매입임대주택"이라 한다)으로서 다음 각 목의 요건을 모두 갖춘 주택. 다만, 「민간임대주택에 관한 특별법」 제2조 제3호에 따른 민간매입임대주택의 경우에는 2018년 3월 31일 이전에 사업자등록등을 한 주택으로 한정한다.

3. 임대사업자의 지위에서 2005년 1월 5일 이전부터 임대하고 있던 임대주택으로서 다음 각 목의 요건을 모두 갖춘 주택이 2호 이상인 경우 그 주택

4. 「민간임대주택에 관한 특별법」 제2조 제2호에 따른 민간건설임대주택으로서 다음 각 목의 요건을 모두 갖춘 주택

5. 「부동산투자회사법」 제2조 제1호에 따른 부동산투자회사 또는 「간접투자자산 운용업법」 제27조 제3호에 따른 부동산간접투자기구가 2008년 1월 1일부터 2008년 12월 31일까지 취득 및 임대하는 매입임대주택으로서 다음 각 목의 요건을 모두 갖춘 주택이 5호 이상인 경우의 그 주택

6. 매입임대주택[미분양주택(「주택법」 제54조에 따른 사업주체가 같은 조에 따라 공급하는 주택으로서 입주자모집공고에 따른 입주자의 계약일이 지난 주택단지에서 2008년 6월 10일까지 분양계약이 체결되지 아니하여 선착순의 방법으로 공급하는 주택을 말한다. 이하 이 조에서 같다)으로서 2008년 6월 11일부터 2009년 6월 30일까지 최초로 분양계약을 체결하고 계약금을 납부한 주택에 한정한다]으로서 다음 각 목의 요건을 모두 갖춘 주택 이 경우 가목부터 다목까지의 요건을 모두 갖춘 매입임대주택(이하 이 조에서 "미분양매입임대주택"이라 한다)이 5호 이상[제2호에 따른 매입임대주택이 5호 이상이거나 제3호에 따른 매입임대주택이 2호 이상이거나 제5호에 따른 임대주택이 5호 이상인 경우에는 제2호·제3호 또는 제5호에 따른 매입임대주택과 미분양매입임대주택을 합산하여 5호 이상(제3호에 따른 매입임대주택과 합산하는 경우에는 그 미분양매입임대주

택이 같은 특별시·광역시 또는 도 안에 있는 경우에 한정한다)을 말한다]이어야 한다.

7. 건설임대주택 중「민간임대주택에 관한 특별법」제2조 제4호에 따른 공공지원민간임대주택 또는 같은 조 제5호에 따른 장기일반민간임대주택(이하 이 조에서 "장기일반민간임대주택등"이라 한다)으로서 다음 각 목의 요건을 모두 갖춘 주택이 2호 이상인 경우 그 주택. 다만, 종전의「민간임대주택에 관한 특별법」제2조 제6호에 따른 단기민간임대주택으로서 2020년 7월 11일 이후 같은 법 제5조 제3항에 따라 같은 법 제2조 제4호에 따른 공공지원민간임대주택 또는 같은 조 제5호에 따른 장기일반민간임대주택으로 변경 신고한 주택은 제외한다.

8. 매입임대주택 중 장기일반민간임대주택등으로서 가목 1)부터 3)까지의 요건을 모두 갖춘 주택. 다만, 나목 1)부터 4)까지에 해당하는 주택의 경우는 제외한다.

Ⓠ 합산배제대상 요건 중 공시지가 6억 원(비수도권 3억 원) 이하는 기준일은 언제인가요?

Ⓐ 임대개시일 또는 최초합산배제 과세기준일(6월 1일) 기준으로 6억 원 이하에 해당하여야 합니다.

🖩 TIP

○ 임대개시일

임대개시일이란, 사업자등록과 임대사업자등록을 하고 최초 임대사업 개시일을 말합니다.

○ 재건축한 주택을 임대주택으로 신규등록하는 경우 합산배제 공시가
   격 기준일

   재건축하기 전 주택은 임대주택이 아니므로, 재건축 준공 완료
후 신축된 주택의 공시가격을 기준으로 판단합니다.

○ 임대주택이 재건축 · 재개발되는 경우

   임대사업자 등록 후 재건축 · 재개발되어 준공이 완료된 경우 신
축된 건물이 공시지가가 임대주택 요건을 초과하여도 최초 등록시
점(구청 주택임대사업자등록일, 세무서 사업자등록일, 임대개시일
의 요건이 완성된 날)을 기준으로 판단합니다.

> **Q** 임대사업자등록이 말소되는 경우, 기존에 경감받은 세금이 추징되
> 나요?
>
> **A** 임대의무기간 종료일에 임대사업자 등록이 자동 말소되는 아파트 장
> 기임대주택과 단기임대주택을 민간임대주택에 관한 특별법에 따라
> 임대의무기간 내에 임차인의 동의를 받아 임대사업등록 말소한 경우
> 기존의 합산배제로 경감받은 종합부동산세는 추징되지 않습니다.

TIP

○ 자진말소

   임대주택등록이 폐지되는 유형인 아파트(8년 장기임대주택과 4
년 단기임대주택)는 자진말소를 할 수 있습니다. 또한 말소시점에

의무임대기간(10년 또는 8년)의 1/2 이상 임대한 경우에는 자진말소하여도 기존에 경감받은 세액을 추징하지 않습니다. 그러나 자진말소시점에 의무임대기간의 1/2 이하 임대한 경우에는 경감받은 세액을 추징하므로 주의하여야 합니다.

○ 자동말소

아파트 장기매입임대주택과 단기임대주택을 제외한 장기매입임대주택은 자동말소가 되지 않습니다. 자진말소를 하는 경우 의무임대기간(10년 또는 8년)을 충족하지 않은 경우이므로, 기존에 경감받은 세액이 전부 추징됩니다.

○ 등록이 불가한 경우

임대주택이 재개발·재건축으로 멸실된 경우에도 기존에 경감받은 종합부동산세를 추징하지 않습니다.

Q 임대주택 임대료 상한(5%)을 위반한 경우, 해당 임대주택은 기존 종합부동산세를 추징하나요?

A 임대료 상한(5%)을 위반 시 합산배제받은 세액을 추징하고, 해당연도와 다음 2개 연도에 대하여 합산배제대상에서 제외합니다. 단, 의무임대기간이 지난 임대주택은 기존 감면세액은 추징하지 않습니다.

【예시】 의무임대기간이 지난 후 임대료 상한 5% 위반 시

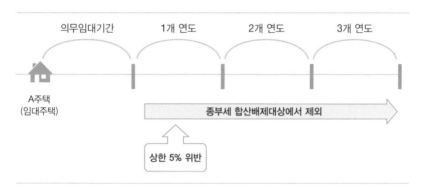

【예시】 의무임대기간 중 임대료 상한 5% 위반 시

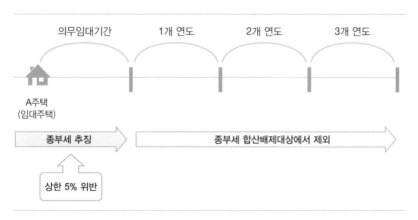

Ⅳ. 세부담 상한

> ⓠ 2021년 개인의 종합부동산세 세부담 상한이 바뀐 규정은 무엇인 가요?
>
> ⓐ 2021년 귀속분부터 조정대상지역에서 2주택 또는 3주택 이상을 소유한 개인의 세부담 상한이 200%에서 300%로 인상되었습니다.

제10조(세부담의 상한)

종합부동산세의 납세의무자가 해당 연도에 납부하여야 할 주택분 재산세액 상당액과 주택분 종합부동산세액상당액의 합계액(이하 이 조에서 "주택에 대한 총세액상당액"이라 한다)으로서 대통령령으로 정하는 바에 따라 계산한 세액이 해당 납세의무자에게 직전년도에 해당 주택에 부과된 주택에 대한 총세액상당액으로서 대통령령으로 정하는 바에 따라 계산한 세액에 다음 각 호의 비율을 곱하여 계산한 금액을 초과하는 경우에는 그 초과하는 세액에 대하여는 제9조에도 불구하고 이를 없는 것으로 본다. 다만, 납세의무자가 법인 또는 법인으로 보는 단체로서 제9조 제2항 각 호의 세율이 적용되는 경우는 그러하지 아니하다.

1. 제9조 제1항 제1호의 적용대상인 경우: 100분의 150
2. 제9조 제1항 제2호의 적용대상인 경우: 100분의 300

V. 법인의 주택 보유에 따른 세금

Q 법인이 주택을 보유하고 있는 경우 어떤 것이 달라지나요?

A 종합부동산세법 개정 시 제8~10조까지 법인 관련 수정사항을 추가하여 기본공제 6억 원 배제, 누진세율 적용배제(최고단일세율적용) 및 세부담 상한을 배제하였습니다.

TIP

○ 법인에 대한 기본공제 폐지

2020년 귀속 종합부동산세는 과세표준계산단계에서 기본공제 6억 원을 적용하였습니다. 이를 활용하여 여러 개의 부동산법인을 설립한 후에 각 부동산법인이 공시가액 6억 원 규모의 주택을 보유하면서 종합부동산세를 회피하는 전략으로 절세를 하였습니다. 이러한 방법을 규제하기 위해서 기본공제를 배제함으로써 보유주택 공시가액합계액 전액이 과세표준이 됩니다.

제8조(과세표준)

① 주택에 대한 종합부동산세의 과세표준은 납세의무자별로 주택의 공시가격을 합산한 금액[과세기준일 현재 세대원 중 1인이 해당 주택을 단독으로 소유한 경우로서 대통령령으로 정하는 1세대 1주택자(이하 "1세대 1주택자"라 한다)의 경우에는 그 합산한 금액에서 3억 원을 공제한 금액]에서 <u>6억 원을 공제(납세의무자가 법인 또는 법인으로 보는 단체로서 제9조 제2항 각 호의 세율이 적용되는 경우는 제외한다)</u>한 금액에 부동산 시장의 동향과 재정 여건 등을 고려하여 100분의 60부터 100분의 100까지의 범위에서 대통령령으로 정하는 공정시장가액비율을 곱한 금액으로 한다. 다만, 그 금액이 영보다 작은 경우에는 영으로 본다.

○ 법인에 대한 적용세율 변경

종합부동산세법 제9조 세율에 관한 사항을 변경해서 주택을 1채만 소유해도 공시가격의 3%에 해당하는 최고세율 구간을 적용받게 됩니다.

따라서 2021 귀속분에 대해서는 기본공제 배제와 함께 최고세율 구간을 적용받게 되므로 엄청난 세부담이 증가하게 됩니다. 또한 3주택 이상(조정지역 2주택)을 소유한 법인은 6%의 세율로 과세되므로(약 16.67년을 보유하는 경우 주택시세의 100%를 종합부동산세로 납부함), 법인의 자산포트폴리오 구성에서 주택의 비중을 어느 정도로 할지 관심을 갖고 연구해야 할 것입니다.

제9조(세율 및 세액)

② 납세의무자가 <u>법인 또는 법인으로 보는 단체</u>(사업의 특성을 고려하여 대통령령으로 정하는 경우는 제외한다)인 경우 제1항에도 불구하고 과세표준에 다음 각 호에 따른 세율을 적용하여 계산한 금액을 주택분 종합부동산세액으로 한다.

1. <u>2주택 이하를 소유한 경우</u>(조정대상지역 내 2주택을 소유한 경우는 제외한다) : 1천분의 30

2. <u>3주택 이상을 소유하거나, 조정대상지역 내 2주택을 소유한 경우</u>: 1천분의 60

○ 법인에 대한 세부담 상한 폐지

종합부동산세법 제10조를 개정하여 법인의 경우 세부담 상한을 적용하지 않습니다.

세부담 상한을 적용하는 이유는 예상하지 못한 시세상승과 세율

인상으로 직전년도 대비 급격한 종부세의 증가를 방지하려고 만든 조항입니다. 그러나 법인의 주택보유에 대한 종부세를 부과함에 있어서 세부담 상한을 고려하지 않겠다는 입법은 확실한 메시지를 주고 있습니다.

정부의 정책방향 '부동산투기근절'과 정부에서 계속 보내고 있는 메시지인 '법인으로 주택을 소유하지 말 것'을 잘 고려하여 투자방향을 정해야 할 것으로 판단됩니다.

	주 택		종합합산대상 토지	별도합산대상 토지
세부담 상한액	2주택 이하	150%	150%	150%
	조정 2주택	300%		
	3주택 이상	300%		
	법인	제한없음.		

종합부동산세법 제10조(세부담의 상한)

종합부동산세의 납세의무자가 해당 연도에 납부하여야 할 주택분 재산세액상당액과 주택분 종합부동산세액상당액의 합계액(이하 이 조에서 "주택에 대한 총세액상당액"이라 한다)으로서 대통령령으로 정하는 바에 따라 계산한 세액이 해당 납세의무자에게 직전년도에 해당 주택에 부과된 주택에 대한 총세액상당액으로서 대통령령으로 정하는 바에 따라 계산한 세액에 다음 각 호의 비율을 곱하여 계산한 금액을 초과하는 경우에는 그 초과하는 세액에 대하여는 제9조에도 불구하고 이를 없는 것으로 본다. 다만, 납세의무자가 법인 또는 법인으로 보는 단체로서 제9조 제2항 각 호의 세율이 적용되는 경우는 그러하지 아니하다.

○ 세법개정에 따른 세부담 비교

부동산매매법인 사례

• A주택: 공시가액 9억 원   • B주택: 공시가액 6억 원

※ 공시가액 변동은 없고, 합산배제주택이 아니라고 가정

<공정시장가액 비율: 21년도 95%, 20년도 90%>

구 분	20년도 종합부동산세	21년도 종합부동산세
공시가액 합계	1,500,000,000원	1,500,000,000원
공제금액	600,000,000원	-
공정가액비율	90%	95%
과세표준	810,000,000원	1,425,000,000원
적용세율		3%
종합부동산세액	5,700,000원	42,750,000원
공제할 재산세액	1,944,000원	3,420,000원
산출세액	3,756,000원	39,330,000원
결정세액	3,756,000원	39,330,000원
농어촌특별세	751,200원	7,860,000원
납부할세액	4,507,200원	47,196,000원
차이금액	42,688,800원	

Q 법인이 2021년 이후 취득하는 주택에 대해서 종합부동산세 합산배제대상에 해당되나요?

A 취득시기에 관계없이 2020년 6월 18일 이후 조정대상지역에 소재하고 있는 주택을 임대주택으로 등록하는 경우 합산배제대상에서 제외됩니다.

TIP

○ 합산배제대상 주택

2021년 귀속분부터는 법인 등이 주택을 취득한 시기와 관계없이 2020년 6월 18일 이후 조정대상지역 소재 주택을 임대사업 등록한 경우 합산배제대상에서 제외됩니다.

요건을 간략하게 설명하자면 다음과 같습니다. 자세한 해당 여부는 법문을 참조하기 바랍니다.

ⓐ 임대개시일 또는 최초합산배제 신고를 한 연도의 과세기준일 (6월 1일) 현재 공시가격이 6억 원(3억 원) 이하일 것

ⓑ 10년 이상 임대할 주택일 것

ⓒ 임대료 등의 증가율이 5% 이내일 것

제3조(합산배제 임대주택)

① 법 제8조 제2항 제1호에서 "대통령령으로 정하는 주택"이란 「공공주택특별법」 제4조에 따른 공공주택사업자 또는 「민간임대주택에 관한 특별법」 제2조 제7호에 따른 임대사업자(이하 "임대사업자"라 한다)로서 과세기준일 현재 「소득세법」 제168조 또는 「법인세법」 제111조에 따른 주택임대업 사업자등록(이하 이 조에서 "사업자등록"이라 한다)을 한 자가 과세기준일 현재 임대(제1호부터 제3호까지, 제5호부터 제8호까지의 주택을 임대한 경우를 말한다)하거나 소유(제4호의 주택을 소유한 경우를 말한다)하고 있는 다음 각 호의 어느 하나에 해당하는 주택(이하 "합산배제 임대주택"이라 한다)을 말한다. 이 경우 과세기준일 현재 임대를 개시한 자가 법 제8조 제3항에 따른 합산배제 신고기간 종료일까지 임대사업자로서 사업자등록을 하는 경우에는 해당 연도 과세기준일 현재 임대사업자로서 사업자등록을 한 것으로 본다

8. 매입임대주택 중 장기일반민간임대주택등으로서 가목 1)부터 3)까지의 요건을 모두 갖춘 주택. 다만, 나목 1)부터 4)까지에 해당하는 주택의 경우는 제외한다.

　나. 제외되는 주택

2) 법인 또는 법인으로 보는 단체가 조정대상지역의 공고가 있는 날(이미 공고된 조정대상지역의 경우 2020년 6월 17일을 말한다)이 지난 후에 사업자등록등을 신청(임대할 주택을 추가하기 위한 등록사항의 변경신고를 포함하며, 제7항 제7호에 따라 임대기간이 합산되는 경우는 멸실된 주택에 대한 신청을 말한다)한 조정대상지역에 있는 「민간임대주택에 관한 특별법」 제2조 제5호에 따른 장기일반민간임대주택

【예시】법인이 조정지역공고가 지난 후 사업자등록등을 신청한 조정대상지역
　　　에 있는 임대주택

① 가능한 경우

② 불가능한 경우 사례 1

③ 불가능한 경우 사례 2

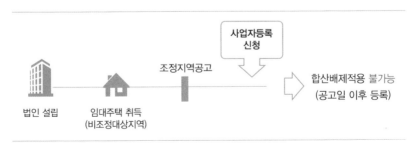

CHAPTER 2

임대소득세

1 서 설

주택임대소득은 소득세 과세대상 사업소득에 해당되며, 2013년 이전에도 총수입금액 2천만 원 이하 주택임대사업자에 대해 과세했었습니다.

다만, 임대시장 수급불일치 해소를 위해 2014~2018년 귀속 주택임대소득에 대해서는 수입금액 2,000만 원 이하는 비과세였고, 소형주택의 기준도 주거전용면적 60㎡ 이하이면서 기준시가 3억 원 이하인 소형주택이었습니다.

2019년도 귀속 주택임대소득에 대한 과세부터는 수입금액 2천만 원 이하 비과세가 일몰되었고, 소형주택의 기준도 주거전용면적 40㎡ 이하이면서 기준시가 2억 원 이하인 소형주택으로 요건이 강

화되었습니다.

3주택 이상 소유의 경우 보증금과 전세금을 간주임대료 계산을 하는 것으로 개정되었고, 간주임대료 계산식에서 3억 원 공제를 적용하여 3억 원 초과 보증금에 대해서 간주임대료를 계산하고 있습니다.

② 소득세 계산구조

주택임대 총수입금액이 2천만 원 이하인 경우에는 종합과세와 분리과세(세율 14%) 중 선택하여 신고할 수 있으며, 주택임대 총수입금액이 2천만 원을 초과하는 경우에는 다른 종합과세대상 소득과 합산하여 신고해야 합니다.

수입금액	과세방법
2천만 원 이하	종합과세 · 분리과세 중 선택
2천만 원 초과	종합과세

📝 분리과세 시 계산 방법

주택임대수입금액이 2천만 원 이하인 경우에는 분리과세로 주택임대소득을 신고함으로써 납세의무를 종결할 수 있습니다.

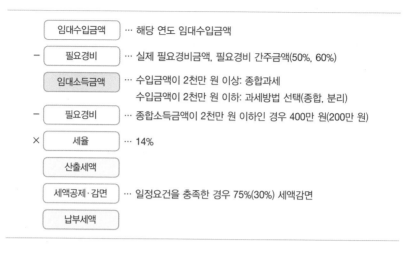

임대수입금액 ··· 해당 연도 임대수입금액

− 필요경비 ··· 실제 필요경비금액, 필요경비 간주금액(50%, 60%)

임대소득금액 ··· 수입금액이 2천만 원 이상: 종합과세
수입금액이 2천만 원 이하: 과세방법 선택(종합, 분리)

− 필요경비 ··· 종합소득금액이 2천만 원 이하인 경우 400만 원(200만 원)

× 세율 ··· 14%

산출세액

세액공제·감면 ··· 일정요건을 충족한 경우 75%(30%) 세액감면

납부세액

📝 종합과세 시 계산방법

주택임대수입금액이 2천만 원 이상이거나, 2천만 원 이하인 경우로서 종합과세방법을 선택한 경우에는 주택임대소득 외의 소득과 합산하여 종합소득세를 계산합니다.

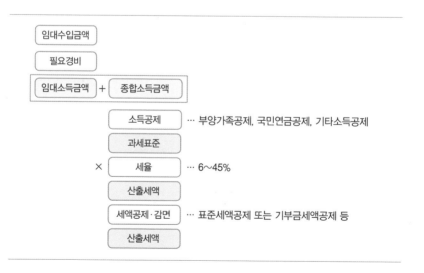

임대수입금액

필요경비

임대소득금액 + 종합소득금액

소득공제 ··· 부양가족공제, 국민연금공제, 기타소득공제

과세표준

× 세율 ··· 6~45%

산출세액

세액공제·감면 ··· 표준세액공제 또는 기부금세액공제 등

산출세액

③ 임대소득 과세대상

주택임대소득은 부부합산 소유기준 2주택 이상(1주택이면서 고가주택인 경우 포함)부터 과세대상에 해당됩니다.

<주택 수에 따른 과세대상 여부>

주택 수 기준		
주택 수	월세	보증금
1주택	비과세*	비과세
2주택	과세	
3주택 이상		간주임대료 과세*

* 국외주택, 고가주택(기준시가 9억 원 초과)은 과세됩니다.
* 보증금 총액이 3억 원을 초과하는 경우에만 과세되며, 소형주택은 21년까지 간주임대료 계산 시 주택 수에서 제외됩니다.

기준시가 9억 원 판단기준일 기준시가 9억 원을 초과하는 주택의 경우에는 1주택 소유자라도 월세 소득에 대하여 과세되는데, 과세되는 주택(근린생활시설) 기준시가 9억 원을 판단하는데 기준일은 다음과 같습니다.

구 분	판단기준일
과세연도 말까지 보유 중인 주택	과세기간 종료일(12. 31.)
과세연도 중에 양도한 주택	해당 주택의 양도일

주택과 근린생활시설 기준시가는 매년 1월 1일을 기준으로 고시한 금액을 기준으로 과세 여부를 판단합니다.

📋 간주임대료

‣ 간주임대료 = (보증금 등 − 3억 원[1]) 의 적수 × 60% × $\frac{1}{365}$ (윤년은 366)

　　　　　　× 정기예금이자율('20귀속: 1.8%)

- 해당 임대사업부분 발생한 수입이자와 할인료 및 배당금의 합
  계액[2]

  1) 보증금 등을 받은 주택이 2주택 이상인 경우에는 보증금 등의 적수가 가장 큰 주택의
     보증금 등부터 순서대로 차감
  2) 추계신고 · 결정하는 경우 임대사업부분에서 발생한 금융수익 차감하지 않음.

📋 세액감면

　세무서와 구청에 사업자등록을 한 내국인이 요건을 갖춘 임대주
택을 임대한 경우, 아래 공제율에 따른 세액공제를 적용합니다. 단,
단기민간임대주택 등이나 장기일반민간임대주택 중 아파트를 2020
년 7월 11일 이후 등록한 주택의 경우에는 제외됩니다.

구 분	세액공제율
장기일반민간임대주택 등	75%
단기민간일반임대주택 등	30%

4 신고 및 납부

종합소득세

주택임대소득은 「소득세법」에 사업소득으로 규정되어 있으며, 다음 해 5월 1일부터 5월 31일까지 소득세를 신고하고 납부하여야 합니다.

단, 성실신고확인대상 사업자가 성실신고확인서를 제출하는 경우에는 6월 30일까지 연장됩니다.

2020년 기준 주택임대업의 성실신고확인서제출대상 수입금액 기준은 5억 원 이상인 경우입니다.

소득세법 시행령 제133조(성실신고확인서 제출)

3. 법 제45조 제2항에 따른 부동산 임대업, 부동산업(제122조 제1항에 따른 부동산매매업은 제외한다), 전문 · 과학 및 기술 서비스업, 사업시설관리 · 사업지원 및 임대서비스업, 교육 서비스업, 보건업 및 사회복지 서비스업, 예술 · 스포츠 및 여가관련 서비스업, 협회 및 단체, 수리 및 기타 개인 서비스업, 가구 내 고용활동: 5억 원

가산세

가. 신고 관련 가산세

종합소득세를 정해진 기한까지 신고하지 않거나, 신고기한 내에 신고를 했으나 과소하게 신고한 경우 다음에 따라 가산세가 부과됩니다.

구 분		가산세액
무신고가산세	부정행위	무신고 납부세액 × 40%
	일반	무신고 납부세액 × 20%
과소신고가산세	부정행위	과소신고 납부세액 × 40%
	일반	과소신고 납부세액 × 10%

나. 납부 관련 가산세

납부기한까지 납부를 하지 아니하거나, 납부할 세액보다 적게 납
부한 경우 연체이자 성격의 다음에 따른 납부지연가산세가 부과됩
니다.

구 분	가산세액
납부지연가산세	미납부세액(과소납부세액) × 미납일수 × 2.5/10,000

문답(問答)으로
풀어보는 주택세금

I. 주택 수

Q 1세대 간 주택 수 계산은 어떻게 하나요?

A 주택 수는 부부의 경우 합산하여 계산하고, 직계존비속이 소유한 주택 수는 합산하지 않습니다. 다만, 소유하는 주택이 기준시가 9억 원 초과하는 고가주택이고, 월세수입이 있는 경우에는 과세됩니다(국외주택을 소유하고 월세 임대소득이 있는 경우에도 과세됩니다).

TIP

○ 주택 수 판정과 소득세 계산

간주임대료 계산 판정을 위한 주택 수만 부부의 소유주택을 모두 합하여 계산하고, 주택임대소득세를 계산할 때는 개인별로 계산해야 합니다.

○ 다가구주택

구분등기되지 않은 다가구주택 1채만 소유하고 있고, 기준시가가 9억 원을 초과하지 않으면 비과세됩니다. 단, 구분등기가 된 경우에는 각 개별 호수 당 1개의 주택으로 계산합니다.

주의해야 할 점은, 국세기본법상 실질적인 다가구주택에 해당하는 경우에는 과세가 되지 않지만, 다가구주택으로 볼 수 없는 경우에는 각 개별 호수당 1주택으로 보아 과세됩니다.

다가구주택이란 주택으로 쓰는 층수가 지하를 제외하고 3개층 이하이며, 바닥면적의 합계가 660㎡ 이하인 총 가구 수가 19세대 이하인 건축물을 말합니다. 따라서, 옥탑을 불법증축하여 주택으로 사용하는 총 층수가 4개층 이상이 되는 경우 등 다가구주택의 요건에 위배되는 경우 각 개별 호수당 1주택으로 간주되고, 다주택자에 해당하게 되어 기준시가 9억 원 이하인 경우라도 임대소득이 과세됩니다.

【예시】 다가구주택의 요건에 위배되는 경우

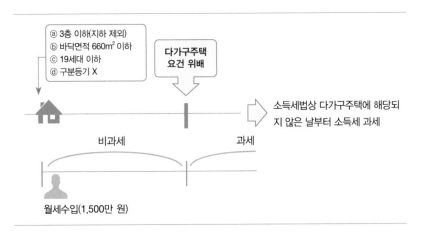

○ 공동소유

　공동소유 주택의 경우 지분이 가장 큰 자의 소유로 계산합니다. 가장 큰 자가 2명 이상인 경우에는 합의에 따라 1명을 소유자로 정할 수 있습니다. 즉, 공동 보유한 주택임대수입의 귀속자를 별도로 정하지 않은 경우 갑과 을이 각각 1채이며, 수입의 귀속자를 정하면 그 사람의 소유가 됩니다.

　주택의 소수지분소유자의 경우에는 원칙적으로는 주택 수에 포함되지 않습니다. 다만, 2020년 귀속부터는 소수지분자라 하여도 다음 중 어느 하나에 해당하는 경우에는 그 주택 수 판단 시에 포함합니다.

　① 공동소유 주택의 수입금액이 연간 6백만 원 이상인 경우
　② 공동소유 주택의 기준시가가 9억 원을 초과하는 경우로서, 그 지분율이 30%를 초과하는 경우

제8조의2(비과세 주택임대소득)

③ 법 제12조 제2호 나목을 적용할 때 주택 수는 다음 각 호에 따라 계산한다. 〈개정 2000. 12. 29., 2010. 2. 18., 2010. 12. 30., 2020. 2. 11.〉

1. 다가구주택은 1개의 주택으로 보되, 구분 등기된 경우에는 각각을 1개의 주택으로 계산

2. 공동소유하는 주택은 지분이 가장 큰 사람의 소유로 계산(지분이 가장 큰 사람이 2명 이상인 경우로서 그들이 합의하여 그들 중 1명을 해당 주택 임대수입의 귀속자로 정한 경우에는 그의 소유로 계산한다). 다만, 다음 각 목의 어느 하나에 해당하는 사람은 본문에 따라 공동소유의 주택을 소유하는 것으로 계산되지 않는 경우라도 그의 소유로 계산한다.
   가. 해당 공동소유하는 주택을 임대해 얻은 수입금액을 기획재정부령으로 정하는 방법에 따라 계산한 금액이 연간 6백만 원 이상인 사람
   나. 해당 공동소유하는 주택의 기준시가가 9억 원을 초과하는 경우로서 그 주택의 지분을 100분의 30 초과 보유하는 사람

3. 임차 또는 전세받은 주택을 전대하거나 전전세하는 경우에는 당해 임차 또는 전세받은 주택을 임차인 또는 전세받은 자의 주택으로 계산

4. 본인과 배우자가 각각 주택을 소유하는 경우에는 이를 합산. 다만, 제2호에 따라 공동소유의 주택 하나에 대해 본인과 배우자가 각각 소유하는 주택으로 계산되는 경우에는 다음 각 목에 따라 본인과 배우자 중 1명이 소유하는 주택으로 보아 합산한다.
   가. 본인과 배우자 중 지분이 더 큰 사람의 소유로 계산
   나. 본인과 배우자의 지분이 같은 경우로서 그들 중 1명을 해당 주택 임대수입의 귀속자로 합의해 정하는 경우에는 그의 소유로 계산

Ⅱ. 임대수입금액

> **Q** 4주택자 중 3주택이 소형주택이고 모든 주택에 대하여 모두 보증금만 수령한 경우 간주임대료 과세대상인가요?
>
> **A** 기준시가 9억 원 초과 1주택 이상 월세소득이 있는 경우에는 과세대상입니다. 다만, 소형주택은 간주임대료를 계산할 때 주택 수에서 제외되므로 전부 전세보증금만 받은 경우 주택임대소득계산 시 1주택자에 해당하므로 간주임대료 과세대상이 아닙니다.

TIP

○ 간주임대료

간주임대료란 임대보증금을 받은 경우 이자수입이 발생하므로 그에 해당하는 금액은 주택임대소득이 발생한다고 간주하여 정기예금이자율(2020년 귀속 정기예금이자율: 1.8%)에 해당하는 금액을 임대료수입에 추가 산정하는 금액입니다.

다만, 이는 3주택 이상자로서 임대보증금의 합계가 3억 원이 넘는 경우에만 과세됩니다.

○ 공동소유인 경우 간주임대료 계산

공동사업장을 하나의 거주자로 보고 공동사업장별로 그 소득금액을 계산하므로 공동사업장의 보증금 등에서 3억 원을 공제합니다.

> **제43조(공동사업에 대한 소득금액 계산의 특례)**
>
> ① 사업소득이 발생하는 사업을 공동으로 경영하고 그 손익을 분배하는 공동사업의 경우에는 해당 사업을 경영하는 장소를 1거주자로 보아 공동사업장별로 그 소득금액을 계산한다.

○ 소형주택

소형주택의 경우 간주임대료 계산 시 주택 수에서 제외되는데, 현재 규정된 소형주택은 주거 면적이 40㎡이면서, 기준시가 2억 원 이하인 경우에는 간주임대료 과세대상이 아닙니다.

주의해야 할 점은, 간주임대료 계산 시에만 소형주택은 간주임대료 과세대상이 아니지만, 월세임대소득을 받은 경우에는 모두 포함하여 신고해야 합니다.

다가구주택의 간주임대료 계산을 위한 소형주택을 판단하는 경우, 다가구주택 각호 전체의 면적을 합산하여 판단합니다.

Q 일시적으로 2주택을 소유한 경우에도 주택임대소득이 과세되나요?

A 일시적 2주택이더라도 소유기간 동안의 월세 임대수입은 소득세가 과세됩니다.

TIP

○ 일시적 2주택의 경우

일시적 2주택은 투자목적이 아닌 실수요목적이므로, 취득세와 양도소득세 모두 중과대상에 해당하지 않습니다. 주택임대소득의 경우에는 실거주 목적이라고 하더라도, 임대소득계산 시에는 주택 수 산정에서 제외하는 규정이 없으므로, 1세대 1주택 기준시가 9억 원 이하의 주택임대소득 중 월세로 받은 경우에는 비과세되지만, 대체주택을 취득한 경우에는 2주택자가 되어 기준시가 9억 원 이하인 경우에도 월세소득이 과세됩니다.

【예시】 대체주택에 세입자가 있는 경우

일시적 1세대 2주택 적용을 받을 때 조정대상지역에서 취득한 대체주택은 1년 이내 기존주택을 양도하고, 세대원 전부가 전입신고를 마쳐야 하지만, 기존임차인이 있는 경우에는 임차인의 거주 안전을 보장해주기 위해서 계약만료일까지 2년 한도로 연장할 수 있습니다.

이때, 일시적으로 수령한다고 하더라도 2주택자에 해당되는 기간 동안 발생하는 월세수입금액은 주택임대소득신고를 하여야 합니다.

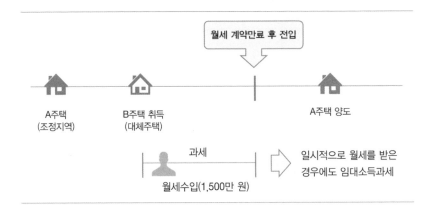

【예시】기존주택에 세입자가 있는 경우

　본인은 전세에 거주하고 있고 소유주택을 임대를 준 경우, 대체주택을 취득하기 전까지의 기간은 1세대 1주택 기준시가 9억 원을 초과하지 않는 주택임대소득이기 때문에 소득세가 과세되지 않지만, 대체주택을 취득하여 전입하는 경우에는 기존 소유주택을 매도하기 전까지는 2주택에 해당하기 때문에, 기준시가 9억 원 이하인 경우에도 월세에 대한 주택임대소득세가 과세됩니다.

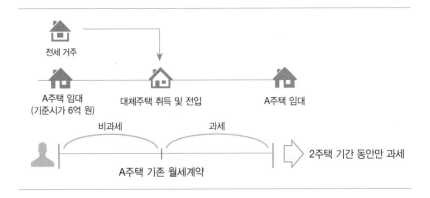

Ⓠ 오피스텔을 임대한 경우도 주택임대소득 과세대상인가요?

Ⓐ 오피스텔을 임차인이 상시 주거용으로 사용하는 경우 주택임대소득 이 과세됩니다.

TIP

○ 과세구분

국세기본법 실질과세원칙에 따라서 주거용으로 사용하는 경우에 는 주택임대소득으로 과세하고, 주거용이 아닌 경우에는 상가임대 소득으로 과세합니다.

이 구분은 부가가치세 과세와 면세구분에도 영향을 미치고, 다른 주택을 취득하는 경우 주택 수 판정에도 영향을 미칠 수 있고, 양도 하는 경우 주택에 관한 과세표준과 세율을 적용할 것인지 상가에 관한 과세표준과 세율을 적용할 것인지에도 영향을 미치며, 다른 주택 매도 시 주택 수 산정에도 영향을 미치므로 중요한 내용이라 고 할 수 있습니다.

○ 사용구분

오피스텔의 사용용도에 따라 아래의 방법으로 과세됩니다. 같은 사업소득의 범주이지만, 주거용의 경우 부가가치세가 면세되고, 일 정한 요건을 갖춘 경우 분리과세, 종합과세를 선택할 수 있으므로, 구분하는 실익은 매우 중요합니다.

사용용도	과세방법	부가세	종합과세방법	재산세 부과	전력
상업용	상가임대소득	과세	무조건 종합과세	업무용	업무용
주거용	주택임대소득	면세	분리과세와 종합과세 중 선택*	주거용	가정용

* 주택임대소득이 연 2천만 원 이하인 경우 해당

국세기본법 제14조(실질과세)

② 세법 중 과세표준의 계산에 관한 규정은 소득, 수익, 재산, 행위 또는 거래의 명칭이나 형식과 관계없이 그 실질 내용에 따라 적용한다.

Q 관리비 및 공공요금을 받은 경우 주택임대 수입금액에서 제외되나요?

A 임대료와 별도로 유지비나 관리비 등의 명목으로 지급받은 금액이 있는 경우 전기료, 수도료 등 공공요금은 총수입금액에 산입하지 아니합니다. 다만, 지급받은 금액이 실질 납부할 금액을 초과하는 경우에는 수입금액에 포함됩니다.

TIP

○ 공동 전기료 등 공과금

전기료 또는 수도료로 징수하는 금액이 공공요금으로 납부할 금액을 초과하는 경우에는 그 초과하는 금액을 총수입금액에 산입합니다. 또한 공공요금을 제외한 청소비, 난방비 등을 수령하는 경우에도 총수입금액에 산입합니다.

① 사업자가 부동산을 임대하고 임대료 외에 유지비나 관리비 등의 명목으로 지급받는 금액이 있는 경우에는 전기료·수도료 등의 공공요금을 제외한 청소비·난방비 등은 부동산임대업에서 발생하는 소득의 총수입금액에 산입한다. 이 경우 청소·난방 등의 사업이 부동산임대업과 객관적으로 구분되는 경우에는 청소 관련 수입금액은 사업시설관리 및 사업지원 서비스업 중 건물·산업설비 청소업, 난방관련 수입금액은 전기, 가스, 증기 및 수도사업 중 증기, 냉온수 및 공기조절공급업의 총수입금액에 산입한다.

② 제1항 본문의 경우 전기료·수도료 등의 공공요금의 명목으로 지급받은 금액이 공공요금의 납부액을 초과할 때 그 초과하는 금액은 부동산임대소득의 총수입금액에 산입한다.

○ 임대소득 계산방법

고가주택 1주택 소유자가 보증금 5억 원, 월 임대료 200만 원, 월 관리비 30만 원, 공공요금 20만 원(1년간 전기, 수도료 100만 원 가정)을 수령한 경우

구 분	계 산
월임대료	200만 원 × 12개월 = 2,400만 원
간주임대료	1주택자이므로 과세하지 않는다.
관리비	30만 원 × 12개월 = 360만 원
공공요금 초과수령	20만 원 × 12개월-100만 원 = 140만 원
보험차익	0원
주택임대수입금액	2,900만 원

Ⅲ. 과세방법의 선택

> ⓠ 종합과세와 분리과세 중 어떤 것이 유리한가요?
>
> ⓐ 사업자등록 여부 및 타 소득이 있는지의 여부 등에 따라 개인별로 세액 차이가 발생합니다.

📟 TIP

소득공제와 주택임대사업자등록 여부 및 타 소득 금액이 있는지의 여부에 따라 다르지만, 일반적으로 분리과세와 종합과세를 선택할 때에 고려해야 할 점을 정리하자면, 다음의 순서에 따라 판단하면 됩니다.

	구분	필요경비	기본공제2)	소득금액	산출세액	세액감면3)	결정세액
분리과세	등록임대주택1)	60%	4백만 원	수입금액 (-)필요경비 (-)기본공제	과세표준 (×) 14%	• 단기(4년) 30% • 장기(8년) 75%	산출세액 - 감면세액
	미등록임대주택	50%	2백만 원			-	= 산출세액
종합과세		MAX(ⓐ,ⓑ) ⓐ실제지출경비 ⓑ단순경비율		수입금액 (-)필요경비	과세표준 (×) 6~45% (타소득합산)	-	= 산출세액

1) 세무서와 지방자치단체에 모두 등록하고 임대보증금 등 연 증가율이 **5%**를 초과하지 않아야 함.
2) 분리과세 주택임대소득을 제외한 종합소득금액이 2천만 원 이하인 경우 공제
3) 국민주택규모의 임대주택으로 요건을 충족한 경우 적용

○ 판단순서

ⓐ 주택임대소득을 제외한 종합소득금액이 2천만 원이 넘는지의 여부

ⓑ 분리과세 필요경비와 기본공제를 차감한 소득금액이 실제 지출 중 더 큰 금액

ⓒ 분리과세(14%)를 하는 경우 종합과세(6~45%)보다 낮은 세율이 적용되는지 여부

ⓓ 세액감면까지 최종적으로 적용하는 경우 낮은 세액을 비교

○ 종합과세가 유리한 경우

다음을 모두 충족하는 경우, 종합과세가 분리과세보다 유리하거나 같습니다.

ⓐ 단순경비율 적용대상자

ⓑ 주택임대업 사업자미등록

ⓒ 주택임대소득 외에 다른 소득이 없는 경우

○ 분리과세가 유리한 경우

다음 두 경우 중 아래의 각각 요건을 모두 충족하는 경우, 분리과세가 종합과세보다 유리하거나 같습니다.

【사례 1】

ⓐ 주택임대소득 총수입금액이 1천만 원 이하

ⓑ 주택임대소득을 제외한 다른 종합과세대상 소득금액이 2천만

원 이하

ⓒ 주택임대 사업자등록 등의 요건을 충족하여 분리과세 시 필요
경비(60%)와 기본공제(4백만 원) 우대가 적용되는 경우

【사례 2】

ⓐ 주택임대 총수입금액이 4백만 원 이하

ⓑ 주택임대소득을 제외한 다른 종합과세대상 소득금액이 2천만
원 이하

PART
3

양도단계

양도소득세

1 서 설

양도소득세가 처음 도입되던 1968년도 당시에는 과세대상인 부동산에 대해 실거래가액에 의하여 양도소득세를 계산하였습니다. 그러나, 거래가액을 검증할 수 있는 과세체계의 부존재 및 성실신고에 대한 기대감이 어려운 상황으로 인해 1983년도부터 2006년까지 부동산에 대하여 기준시가과세 원칙으로 과세방법을 전환하여 시행되어 오다가, 2006년도부터 시행된 「부동산 등기법」의 개정으로 부동산등기부에 부동산실거래가액을 기재하도록 하는 제도를 도입함에 따라 2007년 1월 1일 이후에는 실거래가 과세제도가 전면 시행되게 되었습니다. 이러한 입법의 배경에는 2000년도 중반까지 성행하던 이중계약서 작성 등의 관행을 차단하고, 부동산 투기에 대한 세금 강화대책들이 기준시가 과세원칙하에서는 실질적인 효과를 발휘하지 못하기 때문이었습니다.

오늘날에 이르러 현 정부는 부동산 보유 및 양도에 대한 실질적 세부담을 증가시킴으로써 부동산 실수요가 아닌 투기성 목적의 수요를 차단하고, 세입자보호, 공공주택 공급 등을 목표로 함에 따라 임기 시작 때부터 총 24번의 부동산 대책을 발표하였습니다.

이러한 잦은 부동산 대책 속에서 부동산 처분단계인 양도소득세의 기본사항을 먼저 설명함으로써 그 이해의 기틀을 잡아보고자 합니다.

2 양도소득세의 계산구조

	양도가액	… 양도 당시 실지 거래가액
−	취득가액	… 취득 당시 실지 거래가액
−	필요경비	… 취득시기부터 양도시기까지 지출비용
	양도차익	
−	장기보유특별공제	… 양도차익 X 장기보유공제율
	양도소득금액	
−	기본공제	… 250만 원(연 1회)
	양도소득과세표준	
×	세율	… 보유기간 및 중과대상주택 수에 따른 차등세율
	산출세액	… 조특법에 따른 감면, 세액공제
−	세액감면	… 신고불성실가산세 및 납부불성실가산세
	납부세액	

3 양도 및 취득시기

자산의 양도 및 취득시기는 보유기간의 산정, 장기보유특별공제율 판단, 비과세 및 세액감면의 적용 등을 판단할 때 그 기산점이 되는 주요사항입니다.

그 취득원인과 유형에 따라 다음과 같이 구분됩니다.

📋 일반원칙

구 분	양도 및 취득시기
원칙	잔금청산일
잔금청산 전 소유권이전등기를 한 경우	등기접수일

※ 실무상 '잔금청산일 및 등기접수일' 중 빠른 날을 취득시기 및 양도시기로 함.
※ 잔금청산일이 불분명한 경우 등기접수일 또는 명의개서일

📋 그 외의 경우

구 분	양도 및 취득시기
증여자산	증여를 받은 날(증여등기접수일)
상속자산	상속개시일(사망일)
부동산을 취득할 수 있는 권리	당첨일 또는 잔금청산일
경락에 의한 자산 취득	경락대금을 완납한 날
수용 및 공탁	잔금청산일, 등기접수일, 수용개시일 중 빠른 날
잔금을 소비대차로 변경한 경우	소비대차로 변경한 날

4 양도가액 및 취득가액

앞에서 설명한 바와 같이 양도가액 및 취득가액은 2006년 부동산 실거래가 신고제도가 시행됨에 따라 그 실질거래가액을 의미합니다.

실무상 양도가액이 확인되지 않은 경우는 거의 발생하지 않으나, 취득가액의 경우 취득시기가 오래되었거나 취득 당시 매매계약서를 분실하는 등에 따라 확인되지 않는 경우가 종종 발생합니다.

이러한 경우 등기부등본상에 거래금액이 확인되는 경우 이를 취득가액으로 인정받을 수 있으며, 등기부등본으로도 확인되지 아니하는 경우에는 다음에 따라 환산취득가액을 적용합니다.

환산취득가액 = 양도가액 × 취득 당시 기준시가 / 양도 당시 기준시가

※ 다만, 건물을 신축하여 취득한 후 5년 이내에 양도하면서 환산취득가액을 적용하는 경우 환산취득가액의 5%를 가산세로 납부해야함.

5 필요경비

필요경비는 취득시기부터 양도시기까지 양도차익을 얻기 위해 지출된 금액을 의미하며, 그 취득 · 보유 · 양도단계에 따라 필요경비로 인정되는 비용들은 다음과 같습니다.

구 분		세부내용
취득단계	취득가액	취득세, 공인중개사수수료, 법무사비용, 인지대 등
보유단계		발코니, 새시 설치, 보일러 교체, 확장공사비용 등
양도단계	필요경비	양도세 신고서 작성비용, 위탁매수수수료 등

※ 이해상 편의를 위한 개괄적인 분류이며, 실제 신고 시에는 적격증빙, 이체내역 등
의 검토를 통해 처리해야 함.

6 장기보유특별공제

　장기보유특별공제는 보유기간이 3년 이상인 건물·토지의 양도
차익에 보유기간별 공제율을 곱하여 계산한 금액을 공제해주는 제
도입니다.

　장기보유특별공제는 보유기간이 3년 미만인 자산, 미등기자산,
조정대상지역 내 다주택자의 양도에 대하여는 적용을 제외합니다.

구 분	1세대 1주택(고가주택)		그 외 부동산
	20. 12. 31. 이전 양도	21. 01. 01. 이후 양도	
공제율	보유기간 × 8%	(보유기간 × 4%) + (거주기간 × 4%)	보유기간 × 2%
한도	80%		30%

※ 고가주택의 경우 거주기간 2년 이상인 경우에 한하여 적용함.

7 기본공제

다음의 그룹별로 각 연도별 양도소득금액에서 각각 연 250만 원을 공제하며, 미등기자산에 대하여는 양도소득기본공제를 적용하지 아니합니다.

구 분	대 상
제1그룹	부동산 양도소득
제2그룹	주식 등 양도소득
제3그룹	파생상품 양도소득

8 양도소득세율

자산구분	보유기간 · 대상자산		세율(%)		
제1그룹 (토지, 건물, 부동산에 관한 권리)	공통사항	보유기간 1년 미만	50%{주택 및 조합원입주권의 경우 40%(21. 06. 01. 이후 70%)}		
		보유기간 1년 이상 2년 미만	40%{주택 및 조합원입주권의 경우 기본세율(21. 06. 01. 이후 60%)}		
		보유기간 2년 이상	기본세율		
			과세표준	세율	누진공제액
			1,200만 원 이하	6%	–
			4,600만 원 이하	15%	108만 원
			8,800만 원 이하	24%	522만 원
			1억 5천만 원 이하	35%	1,490만 원
			3억 원 이하	38%	1,940만 원
			5억 원 이하	40%	2,540만 원
			5억 원 초과	42%	3,540만 원
			10억 원 초과	45%	6,540만 원

자산구분	보유기간 · 대상자산	세율(%)		
	1세대 2주택 중과세율 (1주택+1조합원입주권 포함)	기본세율 + 10% (21. 06. 01. 이후 + 20%)		
	1세대 3주택 이상 중과세율 (주택+조합원입주권 포함)	기본세율 + 20% (21. 06. 01. 이후 + 30%)		
	비사업용 토지	기본세율+10%		
		과세표준	세율	누진공제액
		1,200만 원 이하	16%	–
		4,600만 원 이하	25%	108만 원
		8,800만 원 이하	34%	522만 원
		1억 5천만 원 이하	45%	1,490만 원
		3억 원 이하	48%	1,940만 원
		5억 원 이하	50%	2,540만 원
		5억 원 초과	52%	3,540만 원
		10억 원 초과	55%	6,540만 원
	분양권	조정대상지역	50%	
		비조정 대상지역	1년 이내	50%
			2년 이내	40%
			2년 이상	기본세율
		(21. 06. 01. 이후 1년 미만 70%, 1년 이상 60%)		
	미등기 양도자산	70%		

※ 부동산 · 기타자산을 둘 이상 양도하는 경우: MAX(①, ②)

① 합계액에 누진세율을 적용한 산출세액－감면세액

② 자산별 산출세액 합계액－감면세액

9 신고 및 납부

📋 양도소득세 신고 · 납부

양도소득세는 양도자산의 양도일이 속하는 달의 말일로부터 2개월 이내(부담부증여의 경우 3개월)에 주소지 관할 세무서에 신고 및 납부를 해야 합니다.

다만, 양도소득세분 지방소득세(양도소득세의 10%)의 경우 2020년 1월 1일 이후 양도하는 분부터는 양도소득세 신고 · 납부기한에 2개월을 더한 날까지 신고 · 납부해야 합니다.

<예시>
- 양도일: 2020년 12월 10일
- 양도소득세 신고 · 납부기한: 2021년 2월 28일
- 양도소득세분 지방소득세 신고 · 납부기한: 2021년 4월 30일

📋 가산세

가. 신고관련 가산세

양도소득세를 정해진 기한까지 신고하지 않거나, 신고기한 내에 신고를 했으나 과소하게 신고한 경우 다음에 따라 가산세가 부과됩니다.

구 분		가산세액
무신고가산세	부정행위	무신고 납부세액 × 40%
	일반	무신고 납부세액 × 20%
과소신고가산세	부정행위	과소신고 납부세액 × 40%
	일반	과소신고 납부세액 × 10%

나. 납부관련 가산세

납부기한까지 납부를 하지 아니하거나, 납부할 세액보다 적게 납부한 경우 연체이자 성격의 다음에 따른 납부지연가산세가 부과됩니다.

구 분	가산세액
납부지연가산세	미납부세액(과소납부세액) × 미납일수 × 2.5/10,000

🔟 1세대 1주택 및 일시적 2주택

✍ 1세대 1주택

1세대가 보유하고 있는 1주택을 양도하는 때에는 국민의 주거생활의 안정과 거주 이전의 자유를 보장하기 위하여 그 양도소득세를 비과세합니다. 이는 양도일 현재 국내에 2년 이상 보유한 1세대 1주택에 한하여 적용됩니다.

또한, 2017년 8월 2일 이전에 취득한 주택의 경우 거주요건을 별도로 충족하지 않아도 비과세를 적용받을 수 있었지만, 조정대상지역에 따른 1세대 1주택 비과세 요건을 강화함에 따라 2017년 8월

3일 이후 조정대상지역에 소재하는 주택을 취득하는 경우 그 비과세 요건에 '그 보유기간 중 2년 이상의 거주기간' 요건이 추가되었습니다. 다만, 2017년 8월 2일 이전에 매매계약을 체결하고 계약금을 지급한 경우로서 무주택자인 경우에는 해당 거주요건을 적용하지 않습니다.

📝 일시적 1세대 2주택

다음의 요건을 갖춘 1세대 2주택의 경우에는 2주택임에도 불구하고 투기목적이 아닌 실사용 목적 및 부득이한 사유 등에 해당하는 것으로 보아 1세대 1주택 비과세를 적용합니다.

가. 주거이전을 위한 일시적 2주택[6]

1세대가 1주택('종전주택')을 보유하고 있던 중 '신규주택'을 취득함으로써 일시적 2주택이 된 경우에는 다음의 요건을 모두 갖추어 양도하는 '종전주택'에 대하여 1세대 1주택 비과세를 적용합니다.

① '종전주택'의 취득일로부터 1년 이상이 지난 후에 '신규주택'을 취득할 것
② '종전주택'을 2년 이상 보유할 것
  (취득 당시 조정대상지역이었던 경우 그 보유기간 중 거주기간이 2년 이상일 것)
③ '신규주택'의 취득일로부터 3년(2년) 이내에 '종전주택'을 양도할 것. 단, '신규주택'의 취득시점에 '종전주택'과 신규주택이 모두 조

---

6) 소득세법 시행령 제155조 제1항

정대상지역에 있는 경우에는 '신규주택'의 취득일로부터 1년 이내에 1) '종전주택'을 양도하고, 2) '신규주택'에 세대 전원이 전입해야 합니다.

<경과규정에 따른 적용>

종전주택	신규주택	신규주택 취득시점	내 용
조정대상 지역	조정대상 지역	2018. 09. 13. 이전 취득	3년 이내 종전주택 양도 {18. 09. 13. 이전 매매계약 + 계약금 지급(권리 포함)}
		2018. 09. 14. 이후 2019. 12. 16.까지 취득	2년 이내 종전주택 양도 {19. 12. 16. 이전 매매계약 + 계약금 지급(권리 포함)}
		2019. 12. 17. 이후 취득	1년 이내 종전주택 양도 및 신규주택 1년 이내 세대 전원 전입신고
	비조정 대상지역	취득시점 무관	3년 이내 종전주택 매도
비조정 대상지역	조정대상 지역		
	비조정 대상지역		

나. 동거봉양 목적 2주택[7]

1주택을 보유하고 있는 자가 1주택을 보유하고 있는 60세 이상의 직계존속(배우자의 직계존속을 포함)을 동거봉양하기 위하여 세대를 합침으로써 1세대가 2주택을 보유하게 되는 경우, 합친 날부터 10년 이내에 먼저 양도하는 주택은 1세대 1주택 비과세를 적용합니다.

---

7) 소득세법 시행령 제155조 제4항

다. 혼인으로 인한 1세대 2주택[8]

1주택을 보유하고 있는 자가 혼인함으로써 1세대가 2주택을 보유하게 되는 경우에는 혼인한 날로부터 '먼저 양도하는 주택'은 1세대 1주택 비과세를 적용합니다.

라. 이외에 상속으로 인한 1세대 2주택,[9] 지정문화재[10] 등의 1세대 2주택 등

[11] 주택임대사업자의 양도소득세 혜택

정부는 "전월세 공급안정과 임대차 시장투명화"를 목표로 2017년 12월 13일 부동산 대책에 따라 임대사업자 활성화 정책을 시행하여 사업자등록을 유도해왔습니다.

이에 따라 주택임대사업으로 등록한 주택에 대하여 취득단계부터 양도단계까지 각종 혜택을 부여해왔지만, 오히려 혜택을 이용하여 다주택자가 늘어나고 있다는 판단하에 혜택을 점진적으로 줄여나가고 있습니다.

당초 양도소득세에 대한 주택임대사업자의 혜택은 다음과 같습니다.

---

8) 소득세법 시행령 제155조 제5항
9) 소득세법 시행령 제155조 제2항
10) 소득세법 시행령 제155조 제6항

구 분	내 용
① 거주주택 비과세	임대주택 외의 거주주택에 대한 비과세
② 양도소득세 중과배제	임대주택 양도 시 양도소득세율 중과배제
③ 장기보유특별공제율 추가 적용	장기보유특별공제율 연도별(2%) 추가 적용
④ 장기보유특별공제율 특례적용	8년 이상 임대 시 50%, 10년 이상 임대 시 70% 장기보유특별공제율 적용
⑤ 양도소득세 100% 감면 (18. 12. 31. 이전 등록분에 한함)	10년 이상 계속하여 임대 시 양도소득세 100% 감면
⑥ 1세대 1주택 비과세 거주요건 배제(19. 12. 16. 이전 등록분에 한함)	의무임대기간 준수 후 양도 시 1세대 1주택 비과세 적용에 있어 거주기간요건 배제

문답(問答)으로
풀어보는 주택세금

I. 분양권의 주택 수

Q 분양권의 경우 언제부터 주택 수에 포함되나요?

A 2021년 1월 1일 이후 취득하는 분양권의 경우에는 양도소득세 계산 시 주택 수에 포함됩니다.

TIP

○ 일반적인 분양권의 취득시기

일반적으로 자산의 취득시기는 잔금지급일 또는 등기접수일 중 빠른 날로 보지만, 분양권의 경우에는 등기를 할 수 없는 자산에 해당하므로 다음에 따라 취득시기를 판단합니다.

구 분	취득시기
원분양권자	분양권 당첨일 또는 계약일
승계분양권자	잔금청산일

자산의 양도시기는 <u>대금을 청산한 날</u>이 되며 대금을 청산하기 전에 소유권
이전등기한 경우에는 등기부·등록부 또는 명부 등에 기재된 등기접수일
또는 명의개서일이 되는 것이며, <u>아파트 분양권의 경우에는 등기·등록·</u>
<u>명의개서를 요하는 자산에 해당하지 아니하는 것임.</u>

○ 증여를 원인으로 취득하는 분양권의 취득시기

증여로 취득하는 분양권의 취득시기는 권리의무승계일
(일반적으로 분양계약서상 명의변경일＝구청검인일)

부모와 자녀가 아파트를 공동명의로 분양받아 중도금 불입 중 부모의 지분
을 자녀에게 증여한 경우 <u>증여시기는 권리의무승계일</u>이 되는 것임.

※ **20. 12. 31.** 이전에 증여로 취득하는 경우에는 주택 수 산정 시 포함되지 않음.

Ⅱ. 장기보유특별공제

> **Q** 2021년부터 개정되는 1세대 1주택 고가주택 장기보유특별공제는 어떻게 계산하나요?
>
> **A** 2020년 12월 31일까지 양도하는 고가주택의 경우 2년의 거주기간을 충족하는 때에 '보유기간'에 따라 연 8%의 장기보유특별공제율을 적용하였으나, 2021년 1월 1일 이후 양도하는 분부터 '보유기간'과 '거주기간'으로 구분하여 다음의 합으로 장기보유특별공제율을 적용합니다. [보유기간 × 4% + 거주기간 × 4%]

TIP

○ 변경되는 장기보유특별공제율

2020년도 이후 양도하는 고가주택은 거주기간이 2년 이상인 경우에 보유기간에 따라 최대 80%의 장기보유특별공제율을 적용하였으나, 2021년 1월 1일 이후에 양도하는 고가주택은 마찬가지로 거주기간이 2년 이상인 경우에 보유기간 및 거주기간에 따라 최대 80%의 장기보유특별공제율을 적용합니다.

기간 (년)		3년~	4년~	5년~	6년~	7년~	8년~	9년~	10년 이상
현행	보유	24%	32%	40%	48%	56%	64%	72%	80%
개정	보유	12%	16%	20%	24%	28%	32%	36%	40%
	거주	12(8)%	16%	20%	24%	28%	32%	36%	40%
	합계	24(20)%	32%	40%	48%	56%	64%	72%	80%

기간 (년)	3년~	4년~	5년~	6년~	7년~	8년~	9년~	10년 이상
다주택자	6%	8%	10%	12%	14%	16%	18%	20~30%

※ 보유기간이 3년 이상이고, 거주기간이 2년 이상 3년 미만인 경우 **20%(12% + 8%)** 를 적용합니다.

【예시】 변경되는 장기보유특별공제율의 적용

<예시>

- 양도가액 20억 원(고가주택) 및 양도차익 10억 원
- 보유기간 10년
- 거주기간 3년

① 2020년 12월 31일 이전에 양도하는 경우

2020년 12월 31일 이전에 양도하는 고가주택은 2년 이상 거주한 경우 보유기간에 따라 최대 80%의 장기보유특별공제를 적용합니다.

장기보유특별공제율 = 10년(보유기간) × 8% = 80%

② 2021년 1월 1일 이후에 양도하는 경우

2021년 1월 1일 이후에 양도하는 고가주택은 2년 이상 거주한 경우 보유기간 및 거주기간에 따라 최대 80%의 장기보유특별공제를 적용합니다.

$$\begin{aligned}\text{장기보유특별공제율} = &\; [10년(보유기간) \times 4\%] \\ &+ [3년(거주기간) \times 4\%] = 52\%\end{aligned}$$

○ 세부담 비교

(단위: 원)

구 분	20. 12. 31. 이전	21. 01. 01. 이후
양도차익	1,000,000,000	1,000,000,000
비과세 양도차익	△450,000,000	△450,000,000
과세 양도차익	550,000,000	550,000,000
장기보유특별공제	△440,000,000	△286,000,000
양도소득금액	110,000,000	264,000,000
기본공제	△2,500,000	△2,500,000
과세표준	107,500,000	261,500,000
세율	35%	38%
양도소득세	22,725,000	79,970,000
지방소득세	2,272,500	7,997,000
총부담세액	24,997,500	87,967,000
증감액	62,969,500 세액증가	

※ 거주하지 않은 고가주택을 양도하는 경우에는 **20. 12. 31.** 이전 · 이후 양도에 따른 장기보유특별공제율의 차이가 발생하지 않습니다. 이는 **20. 01. 01.** 이후 양도하는 고가주택에 대하여는 거주기간 2년의 요건을 갖춘 경우에 한하여 (1세대 1주택)장기보유특별공제율(최대 **80%**)을 적용하기 때문입니다.

따라서, 거주하지 않은 고가주택을 양도하는 경우에는 보유기간에 따라 최대 **30%**의 (일반)장기보유특별공제율을 적용합니다.

$$\text{장기보유특별공제율} = 10년(보유기간) \times 3\% = 30\%$$

Ⅲ. 1세대 1주택 비과세

Q 2021년 1월 1일부터 최종 1주택의 보유기간은 어떻게 계산하나요?

A 2주택 이상을 보유한 1세대가 '1주택 외의 주택을 모두 양도한 경우'에는 최종적으로 1주택이 된 날로부터 보유기간을 산정합니다. 단, 직전주택의 양도 시 일시적 1세대 2주택을 적용받은 경우(2주택 이상 보유자가 1주택 외의 주택을 전부 양도한 후 다시 신규 취득함으로써 일시적 2주택을 적용받는 경우는 제외)에는 최초 취득일로부터 보유기간을 산정합니다.

TIP

○ 보유기간의 재산정

「소득세법 시행령」 개정사항(법률 제29523호, 2019. 02. 12.)에 따라 2021년 1월 1일 이후부터 양도하는 1세대 1주택 비과세의 경우 최종 1주택의 보유기간을 직전주택의 양도일(또는 최종 1주택이 된 날)로부터 산정합니다. 다만, 직전 양도주택을 일시적 1세대 2주택 비과세 적용에 따라 양도한 경우에는 이를 투기목적이 있다고 보기 어려움에 따라 최종 1주택의 보유기간을 최초 취득일로부터 계산합니다.

이 경우에도 최종 1주택 외의 주택을 모두 양도하고 다시 일시적 1세대 2주택 규정에 따른 비과세를 적용받는 경우에는 최종 1주택의 보유기간을 직전주택의 양도일로부터 계산합니다.

- 최종 1주택이 되기 직전에 양도한 주택이 **과세 대상**이었던 경우

  ◦ 최종 1주택의 보유기간을 <u>최종 1주택이 된 날(직전주택의 양도일)로부터 기산</u>

- 최종 1주택이 되기 직전에 양도한 주택이 <u>일시적 2주택에 따른 비과세 대상이었던 경우(단, 1주택 외의 주택을 모두 양도(과세)한 후 신규주택을 취득함으로써 일시적 2주택을 적용받는 경우에는 최종 1주택이 된 날로부터 보유기간을 산정)</u>

  ◦ 최종 1주택의 보유기간을 <u>당해주택의 최초 취득일로부터 기산</u>

소득세법 시행령 제154조(1세대 1주택의 범위)

⑤ 제1항에 따른 보유기간의 계산은 법 제95조 제4항에 따른다. 다만, <u>2주택 이상(제155조, 제155조의2 및 제156조의2에 따라 일시적으로 2주택에 해당하는 경우 해당 2주택은 제외하되, 2주택 이상을 보유한 1세대가 1주택 외의 주택을 모두 양도한 후 신규주택을 취득하여 일시적 2주택이 된 경우는 제외하지 않는다)을 보유한 1세대가 1주택 외의 주택을 모두 양도한 경우에는 양도 후 1주택을 보유하게 된 날부터 보유기간을 기산한다.</u>

○ 2020년 12월 31일 이전에 최종 1주택 외의 주택을 모두 양도한 경우

2020년 12월 31일 이전에 최종 1주택 외의 주택을 모두 양도한 경우 해당 최종 1주택의 보유기간은 개정규정에도 불구하고 최초 취득일로부터 계산합니다.

2021년 1월 1일 당시 1주택 보유자는 취득일부터 2년 보유기간 기산

[질의]

개정규정(소득령 §154⑤, 대통령령 제29523호) 시행일 전에 다른 주택을 모두 양도하고 '21. 01. 01. 현재 1세대 1주택인 자가 해당 주택을 양도하는 경우 보유기간 기산일

(제1안) 최종 1주택이 된 날

(제2안) 해당 주택의 취득일

[회신]

귀 질의의 경우 2안이 타당합니다.

(기획재정부 재산세과-1132, 2020. 12. 24.)

IV. 일시적 1세대 2주택

> **Q** 종전주택의 취득일로부터 1년이 경과하기 전에 신규주택을 취득하는 경우에도 일시적 2주택의 적용을 받을 수 있나요?
>
> **A** 종전주택의 취득일로부터 1년이 경과하기 전에 신규주택을 취득하였으므로, 일시적 1세대 2주택 비과세 대상은 아니나 신규주택 취득일부터 3년 이내 종전주택을 양도하는 경우 중과세율은 적용되지 않습니다.

TIP

○ 일시적 1세대 2주택 적용요건

일시적 2주택의 경우에는 다음의 요건을 모두 충족하는 때에 '종전주택'의 양도에 대하여 일시적 1세대 2주택 비과세가 적용됩니다.

> ① '종전주택'의 취득일로부터 1년 이상이 지난 후에 '신규주택'을 취득할 것
> ② '종전주택'을 2년 이상 보유할 것(취득 당시 조정대상지역이었던 경우 그 보유기간 중 거주기간이 2년 이상일 것)
> ③ '신규주택'의 취득일로부터 3년(2년) 이내에 '종전주택'을 양도할 것. '신규주택'의 취득시점에 '종전주택'과 신규주택이 모두 조정대상지역에 있는 경우에는 '신규주택'의 취득일로부터 1년 이내에 1) '종전주택'을 양도하고, 2) '신규주택'에 세대 전원이 전입해야 합니다.

소득세법 시행령 제155조(1세대 1주택의 특례)

① 국내에 1주택을 소유한 1세대가 그 주택(이하 이 항에서 "종전의 주택"이라 한다)을 양도하기 전에 다른 주택(이하 이 조에서 "신규주택"이라 한다)을 취득(자기가 건설하여 취득한 경우를 포함한다)함으로써 일시적으로 2주택이 된 경우 종전의 주택을 취득한 날부터 1년 이상이 지난 후 신규주택을 취득하고 다음 각 호에 따라 종전의 주택을 양도하는 경우(제18항에 따른 사유에 해당하는 경우를 포함한다)에는 이를 1세대 1주택으로 보아 제154조 제1항을 적용한다. 〈생략〉

1. 신규주택을 취득한 날부터 3년 이내에 종전의 주택을 양도하는 경우
2. 종전의 주택이 조정대상지역에 있는 상태에서 조정대상지역에 있는 신규주택을 취득[조정대상지역의 공고가 있은 날 이전에 신규주택(신규주택을 취득할 수 있는 권리를 포함한다. 이하 이 항에서 같다)을 취득하거나 신규주택을 취득하기 위해 매매계약을 체결하고 계약금을 지급한 사실이 증명서류에 의해 확인되는 경우는 제외한다]하는 경우에는 다음 각 목의 요건을 모두 충족한 경우
   가. 신규주택의 취득일로부터 1년 이내에 그 주택으로 세대 전원이 이사(기획재정부령으로 정하는 취학, 근무상의 형편, 질병의 요양 그 밖의 부득이한 사유로 세대의 구성원 중 일부가 이사하지 못하는 경우를 포함한다)하고 「주민등록법」 제16조에 따라 전입신고를 마친 경우
   나. 신규주택의 취득일부터 1년 이내에 종전의 주택을 양도하는 경우

○ 일시적 1세대 2주택 중과세율의 적용배제

1세대 2주택을 소유한 1세대가 '신규주택'의 취득일로부터 3년이 지나기 전에 '종전주택'을 양도하는 경우에는 '종전주택'의 양도에 대하여 양도소득세 중과세율(+10%, 21. 06. 01. 이후 +20%)을 적용하지 않습니다. 이는 '일시적 1세대 2주택'에 따른 비과세 규정과

다른 조항으로 각 조항에 따른 요건이 상이함으로 적용에 있어 혼동하지 않도록 해야 합니다.

소득세법 시행령 제167조의10
(양도소득세가 중과되는 1세대 2주택에 해당하는 주택의 범위)

① 법 제104조 제7항 제1호에서 "대통령령으로 정하는 1세대 2주택에 해당하는 주택"이란 국내에 주택을 2개(제1호에 해당하는 주택은 주택의 수를 계산할 때 산입하지 않는다) 소유하고 있는 1세대가 소유하는 주택으로서 다음 각 호의 어느 하나에 해당하지 않는 주택을 말한다.

8. 1주택을 소유한 1세대가 그 주택을 양도하기 전에 다른 주택을 취득(자기가 건설하여 취득한 경우를 포함한다)함으로써 일시적으로 2주택을 소유하게 되는 경우의 종전의 주택[다른 주택을 취득한 날부터 3년이 지나지 아니한 경우(3년이 지난 경우로서 제155조 제18항 각 호의 어느 하나에 해당하는 경우를 포함한다)에 한정한다]

【예시】 일시적 1세대 2주택 요건을 모두 충족한 경우

'일시적 1세대 2주택' 비과세 요건을 모두 충족한 경우, 종전주택(A주택)의 양도가액이 9억 원 이하인 경우 전체 양도차익에 대하여 비과세가 적용되고, 종전주택(A주택)의 양도가액이 9억 원을 초과하는 경우에는 그 9억 원 초과분에 대한 양도차익에 대하여만 양도소득세가 과세됩니다. 이때에 고가주택의 장기보유특별공제는 2년의 거주기간 요건(20. 01. 01. 이후 양도분부터)을 충족한 경우에는 최대 80%의 장기보유특별공제율이 적용되지만, 2년의 거주기간 요건(20. 01. 01. 이후 양도분부터)을 충족하지 못한 경우에는 최대 30%의 장기보유특별공제율이 적용됩니다.

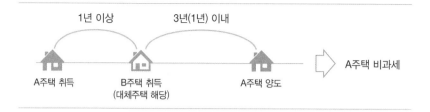

1년 이상   3년(1년) 이내

A주택 취득   B주택 취득   A주택 양도   A주택 비과세
           (대체주택 해당)

【예시】 일시적 1세대 2주택 요건을 일부 충족하지 못하는 경우

종전주택(A주택)의 취득일로부터 1년이 경과하지 아니하고 신규주택(B주택)을 취득하거나, 종전주택(A주택)의 처분기한 내에 양도를 하지 못한 경우 또는 종전주택(A주택)과 신규주택(B주택)이 취득 당시 모두 조정대상지역인 경우로서 신규주택(B주택)의 취득일로부터 1년 이내에 전입하지 못한 경우에는 '일시적 1세대 2주택'의 규정이 적용되지 않습니다. 다만, 이때에 종전주택(A주택)을 신규주택(B주택)의 취득일로부터 3년 이내에 양도하는 경우에는 종전주택(A주택)이 조정대상지역에 소재하고 있더라도 중과세율(+10%, 21. 06. 01. 이후 +20%)이 아닌 일반세율을 적용받고, 장기보유특별공제율(최대 30%)을 적용받습니다.

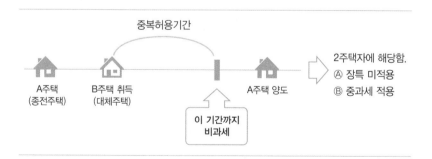

중복허용기간

A주택   B주택 취득   A주택 양도   2주택자에 해당함.
(종전주택)   (대체주택)   Ⓐ 장특 미적용
                                          Ⓑ 중과세 적용

이 기간까지 비과세

Q 일시적 1세대 2주택 적용 시 2018년 9월 13일 이전에 취득한 조정대상지역 내 주택을 2018년 9월 14일 이후 배우자에게 증여를 하는 경우 '종전주택'의 처분기한이 어떻게 적용되나요?

A 2018년 9월 13일 이전에 취득한 주택을 2018년 9월 14일 이후 동일 세대원에게 증여하는 경우에는 '종전주택'의 처분기한은 3년이 적용됩니다.

TIP

○ '종전주택'의 처분기한 경과규정

'일시적 1세대 2주택' 비과세의 적용 시 '신규주택' 취득에 따른 '종전주택'의 처분기한은 다음과 같이 변경 및 적용되어 왔습니다. 다만, 그 경과규정 적용에 있어 2018년 9월 13일 및 2019년 12월 16일 이전에 조정대상지역에 소재하고 있는 '신규주택'을 취득하기 위하여 매매계약을 체결하고 계약금을 지급한 사실이 증빙서류에 의해 확인되는 경우에는 종전규정을 적용합니다.

종전주택	신규주택	신규주택 취득시점	내 용
조정 대상지역	조정 대상지역	2018. 09. 13. 이전 취득	3년 이내 종전주택 양도 (18. 09. 13. 이전 매매계약 + 계약금 지급(권리 포함))
		2018. 09. 14.이후 2019. 12. 16.까지 취득	2년 이내 종전주택 양도 (19. 12. 16. 이전 매매계약 + 계약금 지급(권리 포함))
		2019. 12. 17. 이후 취득	1년 이내 종전주택 양도 및 신규주택 1년 이내 세대 전원 전입신고

종전주택	신규주택	신규주택 취득시점	내 용
조정대상 지역	비조정 대상지역	취득시점 무관	3년 이내 종전주택 매도
비조정 대상지역	조정대상 지역		
	비조정 대상지역		

소득세법 시행령 부칙 〈제29242호, 2018. 10. 23.〉

제2조(1세대 1주택 비과세 요건에 관한 적용례 등)

① 제155조 제1항의 개정규정은 이 영 시행 이후 양도하는 분부터 적용한다.

② 다음 각 호의 어느 하나에 해당하는 경우에는 제155조 제1항의 개정규정 및 이 조 제1항에도 불구하고 종전의 규정에 따른다.

1. 조정대상지역에 종전의 주택을 보유한 1세대가 2018년 9월 13일 이전에 조정대상지역에 있는 신규주택(신규주택을 취득할 수 있는 권리를 포함한다. 이하 이 항에서 같다)을 취득한 경우

2. 조정대상지역에 종전의 주택을 보유한 1세대가 2018년 9월 13일 이전에 조정대상지역에 있는 신규주택을 취득하기 위하여 매매계약을 체결하고 계약금을 지급한 사실이 증빙서류에 의하여 확인되는 경우

소득세법 시행령 부칙 〈제30395호, 2020. 02. 11.〉

제15조(조정대상지역 일시적 2주택 비과세 요건에 관한 적용례 등)

① 제155조 제1항의 개정규정은 이 영 시행 이후 양도하는 분부터 적용한다.

② 다음 각 호의 어느 하나에 해당하는 경우에는 제1항에도 불구하고 종전의 규정에 따른다.

1. 조정대상지역에 종전의 주택을 보유한 1세대가 2019년 12월 16일 이전에 조정대상지역에 있는 신규주택(신규주택을 취득할 수 있는 권리를 포함한다. 이하 이 항에서 같다)을 취득한 경우
2. 조정대상지역에 종전의 주택을 보유한 1세대가 2019년 12월 16일 이전에 조정대상지역에 있는 신규주택을 취득하기 위하여 매매계약을 체결하고 계약금을 지급한 사실이 증빙서류에 의하여 확인되는 경우

○ 사례 적용

【예시】2019년 12월 17일 이후에 취득한 경우

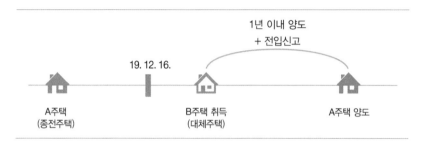

【예시】2019년 12월 16일 이전에 계약을 체결하고 계약금을 지급한 사실이 확인되는 경우

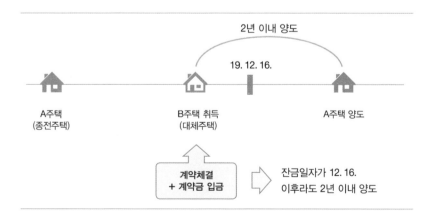

【예시】 '신규주택'의 조정대상지역 공고일 전 계약을 체결한 경우

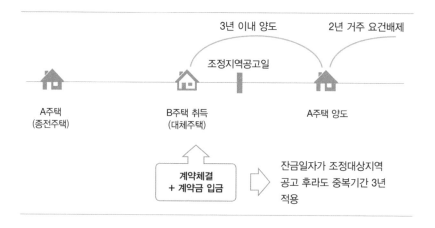

○ 동일 세대원 내에 증여로 인한 명의의 이전이 발생한 경우

　'일시적 1세대 2주택'의 비과세 규정을 적용함에 있어 그 기준은 '1세대'입니다. 따라서, '일시적 1세대 2주택' 경과규정에 따른 기준일 이후의 세대 간 소유권의 이전이 일어났다고 하더라도, 세대 내의 이전으로 세대 단위에서의 변동이 없음으로 종전규정의 적용을 받게 됩니다.

【예시】 2018년 9월 13일 이전 취득한 주택을 2018년 9월 14일 이후에 배우자에게 증여하는 경우

　양도소득세에서 부부는 1세대의 기본 구성원이므로 거주자가 그 배우자에게 2018년 9월 13일 이전에 취득한 주택을 2018년 9월 14일 이후에 증여하는 경우에도 종전규정에 따라 '일시적 2주택'의 처분기한은 3년이 적용됩니다.

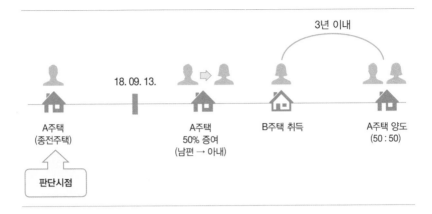

3년 이내

18. 09. 13.

A주택
(종전주택)

A주택
50% 증여
(남편 → 아내)

B주택 취득

A주택 양도
(50 : 50)

판단시점

소득세법 시행령 제155조(1세대 1주택의 특례)

① 국내에 1주택을 소유한 1세대가 그 주택(이하 이 항에서 "종전의 주택"이라 한다)을 양도하기 전에 다른 주택(이하 이 조에서 "신규주택"이라 한다)을 취득(자기가 건설하여 취득한 경우를 포함한다)함으로써 일시적으로 2주택이 된 경우 종전의 주택을 취득한 날부터 1년 이상이 지난 후 신규주택을 취득하고 다음 각 호에 따라 종전의 주택을 양도하는 경우(제18항에 따른 사유에 해당하는 경우를 포함한다)에는 이를 1세대 1주택으로 보아 제154조 제1항을 적용한다. 〈생략〉

【예시】2018년 9월 13일 이전 취득한 주택을 2018년 9월 14일 이후에 일부 지분을 자녀에게 증여하는 경우

　양도소득세에서 자녀는 그 사실관계에 따라 동일세대 또는 독립된 세대를 구성하는 것으로 볼 수 있습니다. 따라서, 독립된 세대를 구성하고 있는 자녀에게 2018년 9월 13일 이전에 취득한 주택을 2018년 9월 14일 이후에 증여하는 경우에는 배우자에게 증여한 것과 달리 '일시적 2주택'의 처분기한은 2년이 적용됩니다.

> Q '조합원입주권'과 '분양권'의 경우에도 일시적 1세대 2주택 규정을 적용할 수 있나요?
>
> A 현재 '조합원입주권'은 일정한 요건을 충족한 경우 일시적 1세대 2주택에 따른 비과세 규정이 존재하지만, '분양권'의 경우 아직 법령이 미비된 상태입니다. 다만, 기획재정부에서는 '분양권'에 대해서도 '입주권'과 유사한 내용을 개정안에 포함할 것이라고 발표한 바 있습니다.

TIP

○ '조합원입주권' 처분에 대한 비과세

　'조합원입주권'을 보유하는 1세대가 다음 중 어느 하나에 해당하는 요건을 갖춘 경우에는 그 '조합원입주권'의 양도에 대하여 비과세를 적용합니다.

　다만, 이때에 비과세를 적용받기 위해서는 관리처분계획인가일 (「빈집 및 소규모주택 정비에 관한 특례법」에 따른 경우 사업시행

계획인가일) 현재 입주권에 대하여 1세대 1주택 비과세 요건(보유기간 및 거주기간 요건)을 갖추어야 합니다(∴ 승계조합원입주권의 경우 적용이 불가능).

① 양도일 현재 다른 주택을 보유하지 아니한 경우
② 양도일 현재 '1주택'과 '1조합원입주권'을 보유한 경우로서 '주택'의 취득일로부터 3년 이내에 '조합원입주권'을 양도하는 경우

이 경우 취득 당시 조정대상지역에 소재하는지 여부와 무관하게 '조합원입주권'의 처분기한은 3년이 적용됩니다.

○ '조합원입주권'을 취득하고 3년 이내에 '종전주택'을 처분함에 따른 비과세

'종전주택'을 소유한 1세대가 '입주권'을 취득한 경우로서 다음의 요건을 모두 충족한 때에는 '종전주택'의 양도에 대하여 비과세를 적용합니다.

다만, 이때에 비과세를 적용받기 위해서는 양도시점에 '종전주택'에 대하여 1세대 1주택 비과세 요건(보유기간 및 거주기간 요건)을 갖추어야 합니다.

① '종전주택'의 취득일로부터 **1년 이상이 지난 후**에 '조합원입주권'을 취득할 것
② '조합원입주권'의 취득일로부터 3년 이내에 '종전주택'을 양도할 것

이 경우 취득 당시 조정대상지역에 소재하는지 여부와 무관하게 '종전주택'의 처분기한은 3년이 적용됩니다.

○ '조합원입주권'을 취득하고 3년이 지난 후에 '종전주택'을 처분함에 따른 비과세

'종전주택'을 소유한 1세대가 '입주권'을 취득한 경우로서 다음의 요건을 모두 충족한 때에는 '종전주택'의 양도에 대하여 비과세를 적용합니다.

다만, 이때에 비과세를 적용받기 위해서는 양도시점에 '종전주택'에 대하여 1세대 1주택 비과세 요건(보유기간 및 거주기간 요건)을 갖추어야 합니다.

① 재건축 등에 따라 취득한 주택의 준공일로부터 2년 이내에 세대 전원이 이사하여, 1년 이상 계속하여 거주할 것
② 재건축 등에 따라 취득하는 주택이 준공되기 전 또는 준공된 후 2년 이내에 **'종전주택'**을 양도할 것

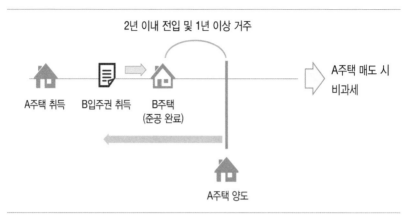

2년 이내 전입 및 1년 이상 거주

A주택 취득　　B입주권 취득　　B주택
　　　　　　　　　　　　　　（준공 완료）

A주택 매도 시
비과세

A주택 양도

※ B주택의 준공 전 또는 준공 후 2년 이내에 A주택을 양도

○ 재개발·재건축 기간 중 거주를 위한 대체주택 취득에 따른 비과세

1주택을 소유한 1세대가 그 주택이 재개발·재건축 등이 시행됨에 따라 '조합원입주권'으로 변경되는 경우, 그 시행기간 동안 거주하기 위하여 취득하는 '대체주택'에 대하여 다음의 요건을 모두 갖추어 양도하는 경우에는 '대체주택'의 양도에 대하여 비과세를 적용합니다.

다만, 이때에 '대체주택'에 대하여는 1세대 1주택 비과세 요건(보유기간 및 거주기간 요건)을 적용하지 아니합니다(∴ 보유기간 및 거주기간 요건을 갖추지 아니하여도 비과세의 적용이 가능).

① 재개발 · 재건축 또는 소규모재건축사업에 따른 사업시행인가일 이후 대체주택을 취득하여 1년 이상 거주할 것
② 재건축 등에 따라 취득한 주택의 준공일로부터 2년 이내에 세대 전원이 이사하여, 1년 이상 계속하여 거주할 것
③ 재건축 등에 따라 취득하는 주택이 준공되기 전 또는 준공된 후 2년 이내에 '**종전주택**'을 **양도**할 것

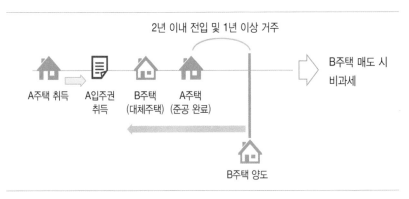

2년 이내 전입 및 1년 이상 거주

A주택 취득 → A입주권 취득 → B주택 (대체주택) → A주택 (준공 완료) → B주택 매도 시 비과세

B주택 양도

※ **A**주택의 준공 전 또는 준공 후 2년 이내에 **B**주택을 양도

소득세법 제89조(비과세 양도소득)

① 다음 각 호의 소득에 대해서는 양도소득에 대한 소득세(이하 "양도소득세"라 한다)를 과세하지 아니한다.

4. 조합원입주권을 1개 보유한 1세대[「도시 및 주거환경정비법」 제74조에 따른 관리처분계획의 인가일 및 「빈집 및 소규모주택 정비에 관한 특례법」 제29조에 따른 사업시행계획인가일(인가일 전에 기존주택이 철거되는 때에는 기존주택의 철거일) 현재 제3호 가목에 해당하는 기존주택을 소유하는 세대]가 다음 각 목의 어느 하나의 요건을 충족하여 양도하는 경우 해당 조합원입주권을 양도하여 발생하는 소득. 다만, 해당 조합원입주권의 가액이 대통령령으로 정하는 기준을 초과하는 경우에는 양도소득세를 과세한다.

가. 양도일 현재 다른 주택을 보유하지 아니할 것

나. 양도일 현재 1조합원입주권 외에 1주택을 소유한 경우로서 해당 1주택을 취득한 날부터 3년 이내에 해당 조합원입주권을 양도할 것(3년 이내에 양도하지 못하는 경우로서 대통령령으로 정하는 사유에 해당하는 경우를 포함한다)

소득세법 시행령 제156조의2
(주택과 조합원입주권을 소유한 경우 1세대 1주택의 특례)

③ 국내에 1주택을 소유한 1세대가 그 주택(이하 이 항에서 "종전의 주택"이라 한다)을 양도하기 전에 조합원입주권을 취득함으로써 일시적으로 1주택과 1조합원입주권을 소유하게 된 경우 종전의 주택을 취득한 날부터 1년 이상이 지난 후에 조합원입주권을 취득하고 그 조합원입주권을 취득한 날부터 3년 이내에 종전의 주택을 양도하는 경우(3년 이내에 양도하지 못하는 경우로서 기획재정부령으로 정하는 사유에 해당하는 경우를 포함한다)에는 이를 1세대 1주택으로 보아 제154조 제1항을 적용한다. 이 경우 제154조 제1항 제1호, 제2호 가목 및 제3호에 해당하는 경우에는 종전의 주택을 취득한 날부터 1년 이상이 지난 후 조합원입주권

을 취득하는 요건을 적용하지 아니한다.

④ 국내에 1주택을 소유한 1세대가 그 주택을 양도하기 전에 조합원입주권을 취득함으로써 일시적으로 1주택과 1조합원입주권을 소유하게 된 경우 조합원입주권을 취득한 날부터 3년이 지나 종전의 주택을 양도하는 경우로서 다음 각 호의 요건을 모두 갖춘 때에는 이를 1세대 1주택으로 보아 제154조 제1항을 적용한다.

1. 재개발사업, 재건축사업 또는 소규모재건축사업의 관리처분계획등에 따라 취득하는 주택이 완성된 후 2년 이내에 그 주택으로 세대 전원이 이사(기획재정부령이 정하는 취학, 근무상의 형편, 질병의 요양 그 밖의 부득이한 사유로 세대의 구성원 중 일부가 이사하지 못하는 경우를 포함한다)하여 1년 이상 계속하여 거주할 것

2. 재개발사업, 재건축사업 또는 소규모재건축사업의 관리처분계획등에 따라 취득하는 주택이 완성되기 전 또는 완성된 후 2년 이내에 종전의 주택을 양도할 것

⑤ 국내에 1주택을 소유한 1세대가 그 주택에 대한 재개발사업, 재건축사업 또는 소규모재건축사업의 시행기간 동안 거주하기 위하여 다른 주택(이하 이 항에서 "대체주택"이라 한다)을 취득한 경우로서 다음 각 호의 요건을 모두 갖추어 대체주택을 양도하는 때에는 이를 1세대 1주택으로 보아 제154조 제1항을 적용한다. 이 경우 제154조 제1항의 보유기간 및 거주기간의 제한을 받지 아니한다.

1. 재개발사업, 재건축사업 또는 소규모재건축사업의 사업시행인가일 이후 대체주택을 취득하여 1년 이상 거주할 것

2. 재개발사업, 재건축사업 또는 소규모재건축사업의 관리처분계획등에 따라 취득하는 주택이 완성된 후 2년 이내에 그 주택으로 세대 전원이 이사(기획재정부령으로 정하는 취학, 근무상의 형편, 질병의 요양, 그 밖에 부득이한 사유로 세대원 중 일부가 이사하지 못하는 경우를 포함한다)하여 1년 이상 계속하여 거주할 것. 다만, 주택이 완성된 후 2년 이내에 취학 또는 근무상의 형편으로 1년 이상 계속하여 국외에 거

주할 필요가 있어 세대 전원이 출국하는 경우에는 출국사유가 해소 (출국한 후 3년 이내에 해소되는 경우만 해당한다)되어 입국한 후 1년 이상 계속하여 거주하여야 한다.

3. 재개발사업, 재건축사업 또는 소규모재건축사업의 관리처분계획등에 따라 취득하는 주택이 완성되기 전 또는 완성된 후 2년 이내에 대체주택을 양도할 것

V. 민간임대주택 관련

> **Q** 임대등록이 말소되는 경우 거주주택 비과세로 감면받은 세액이 추징 되나요?
>
> **A** 이미 적용받은 거주주택에 대한 비과세는 추징하지 않고, 임대등록이 말소되는 경우 5년 이내 거주주택을 양도하는 경우에는 비과세가 적 용됩니다. 또한, 그 말소유형(자동말소 또는 자진말소)에 따라 그 기 한 내에 기존의 등록임대주택에 대한 세제지원들이 유지됩니다.

TIP

○ 「민간임대주택에 관한 특별법」 개정사항(법률 제17482호, 2020. 08. 18.)에 따른 임대등록주택

구 분	의무임대기간	유 형	
		매입임대주택	건설임대주택
단기 민간임대주택	4년	폐지	폐지
장기일반 민간임대주택	8년 (20. 08. 18. 이후 등록: 10년)	유지 (아파트는 폐지)	유지

○ 자진말소와 자동말소의 차이 및 세제지원

자진말소와 자동말소 모두 구청에 등록되어있는 임대사업자의 등록이 말소되는 것은 동일하나, 말소유형 및 그 임대의무기간의 준수사항에 따라 그 이후 세법의 적용이 달라집니다.

구 분	중과세율 배제	거주주택 비과세	제97조의3 특공제 특례
자진말소 (1/2 미만 임대)	해당 없음.	해당 없음.	해당 없음.
자진말소 (1/2 이상 임대)	1년 이내 양도분	5년 이내 양도분	해당 없음.
자동말소	제한 없이 중과세율 배제	5년 이내 양도분	해당 없음. 다만, 장기일반임대주택 중 '아파트'에 대하여만 50% 장특공제율 적용

※ 세부사항

2020년 8월 4일 발표된 "민간임대주택에 관한 특별법 일부개정법률안"에 따라 민간임대주택 중 [단기민간임대주택]과 [장기일반매입임대주택 중 아파트]는 의무임대기간이 종료되는 날에 등록이 자동으로 말소됩니다. 이에 따라, 조세특례제한법 제97조의3에 의하여 장기보유특별공제율 특례 (8년: 50%, 10년: 70%)가 적용가능했던 장기일반매입임대주택 중 아파트의 경우 그 의무임대기간이 종료되어 자동말소되는 경우 동법에 따른 8년 의무임대기간을 준수한 것으로 보아 50%의 장기보유특별공제율 적용이 가능합니다.

조세특례제한법 시행령 제97조의3 (장기일반민간임대주택등에 대한 양도소득세의 과세특례)

② 〈생략〉 이 경우 다음 각 호의 어느 하나에 해당하는 경우에는 다음 각 호의 구분에 따라 등록 및 임대한 기간을 계산한다.

2. 종전의 「민간임대주택에 관한 특별법」(법률 제17482호 민간임대주택에 관한 특별법 일부개정법률로 개정되기 전의 것을 말한다) 제2조 제5호에 따른 장기일반민간임대주택 중 아파트를 임대하는 민간매입임대주택이 「민간임대주택에 관한 특별법」 제6조 제5항에 따라 등록이 말소되는 경우: 해당 주택은 8년 동안 등록 및 임대한 것으로 본다.

○ 장기보유특별공제율의 적용

　등록임대주택에 대하여 의무임대기간 동안 임대료 등 증액제한 의무사항을 잘 이행하고 말소된 경우 다주택자에 대한 중과세율 [+10%, 20%(21. 06. 01. 이후 양도분부터 + 20%, 30%)]이 적용되지 않고, 장기보유특별공제 또한 적용 가능합니다.

　이때에 장기보유특별공제율은 다음의 구분에 따라 적용됩니다.

구 분	장기보유특별공제율	보유기간
일반 장기보유특별공제율	6~30%	3~15년
8년 이상 임대한 장기일반임대주택	50%	8년
10년 이상 임대한 장기일반임대주택	70%	10년

Q '거주주택 비과세 특례'를 적용받은 1세대가 2019년 2월 12일 이후에 취득한 주택을 2년 이상 거주하는 경우 '거주주택 비과세 특례'를 다시 적용받을 수 있나요?

A 2019년 2월 12일 이후에 새로이 취득하는 주택의 경우에는 2년 이상 거주하더라도 평생 1회에 한해 거주주택 비과세를 적용하므로, 기존에 '거주주택 비과세 특례'를 적용받은 적이 있는 경우에는 해당 비과세를 재차 적용할 수 없습니다.

TIP

○ 거주주택 비과세의 경과규정

거주주택 비과세는 임대주택 외의 일반주택에 대하여 거주기간 요건을 갖춘 경우 1세대 1주택 비과세를 적용받을 수 있도록 함으로써 주택임대사업자의 주택임대공급을 활성화하고자 하는데에 그 취지가 있었습니다.

그러나 거주주택 비과세를 반복하여 적용할 수 있음에 따라 신규 주택을 취득하여 주택임대사업자로 등록하는 다주택자의 투기수요를 억제하기 위하여 2019년 2월 12일 이후에 신규로 취득하는 주택에 대하여는 그 '거주주택 비과세 특례'의 적용을 생애 1회로 제한하게 되었습니다.

따라서, 2019년 2월 11일 이전에 취득한 주택에 대하여는 여전히 '거주주택 비과세 특례' 규정을 반복하여 적용 가능하나 기존에 '거주주택 비과세 특례'를 적용받은 경우에는 2019년 2월 12일 이후에 취득하는 주택에 대하여는 해당 규정을 적용하지 못합니다.

⑳ 제167조의3 제1항 제2호에 따른 주택[같은 호 가목 및 다목에 해당하는 주택의 경우에는 해당 목의 단서에서 정하는 기한의 제한은 적용하지 않되, 2020년 7월 10일 이전에 「민간임대주택에 관한 특별법」 제5조에 따른 임대사업자등록 신청(임대할 주택을 추가하기 위해 등록사항의 변경 신고를 한 경우를 포함한다)을 한 주택으로 한정한다. 이하 이 조에서 "장기임대주택"이라 한다] 또는 제167조의3 제1항 제8호의2에 해당하는 주택(이하 "장기가정어린이집"이라 한다)과 그 밖의 1주택을 국내에 소유하고 있는 1세대가 각각 제1호와 제2호 또는 제1호와 제3호의 요건을 충족하고 해당 1주택(이하 이 조에서 "거주주택"이라 한다)을 양도하는 경우(장기임대주택을 보유하고 있는 경우에는 생애 한 차례만 거주주택을 최초로 양도하는 경우에 한정한다)에는 국내에 1개의 주택을 소유하고 있는 것으로 보아 제154조 제1항을 적용한다. 이 경우 해당 거주주택을 「민간임대주택에 관한 특별법」 제5조에 따라 민간임대주택으로 등록하였거나 「영유아보육법」 제13조 제1항에 따른 인가를 받아 가정어린이집으로 사용한 사실이 있고 그 보유기간 중에 양도한 다른 거주주택(양도한 다른 거주주택이 둘 이상인 경우에는 가장 나중에 양도한 거주주택을 말한다. 이하 "직전거주주택"이라 한다)이 있는 거주주택(민간임대주택으로 등록한 사실이 있는 주택인 경우에는 1주택 외의 주택을 모두 양도한 후 1주택을 보유하게 된 경우로 한정한다. 이하 이 항에서 "직전거주주택보유주택"이라 한다)인 경우에는 직전거주주택의 양도일 후의 기간분에 대해서만 국내에 1개의 주택을 소유하고 있는 것으로 보아 제154조 제1항을 적용한다.

소득세법 시행령 부칙 〈제29523호, 2019. 02. 12.〉

제7조(주택임대사업자 거주주택 양도소득세 비과세 요건에 관한 적용례 등
① 제154조 제10항 제2호 및 제155조 제20항(제2호는 제외한다)의 개정규
정은 이 영 시행 이후 취득하는 주택부터 적용한다.
② 다음 각 호의 어느 하나에 해당하는 주택에 대해서는 제154조 제10항 제
2호, 제155조 제20항(제2호는 제외한다)의 개정규정 및 이 조 제1항에도
불구하고 종전의 규정에 따른다.
1. 이 영 시행 당시 거주하고 있는 주택
2. 이 영 시행 전에 거주주택을 취득하기 위해 매매계약을 체결하고 계
약금을 지급한 사실이 증빙서류에 의해 확인되는 주택

Q 1세대 1주택자가 신규주택을 취득하여 임대주택으로 등록한 경우 양
도 시 양도소득세가 중과되나요?

A 1세대 1주택에 해당하는 거주자가 2018년 9월 14일 이후에 조정대
상지역에서 새로이 취득하여 장기임대주택으로 등록한 경우에는 양
도소득세가 중과됩니다.

TIP

○ 임대주택의 중과배제

임대주택으로 등록한 경우에는 해당 임대주택의 양도 시 양도소
득세의 중과세율을 적용하지 아니하고, 임대주택 외의 일반주택이
한 채인 경우에도 마찬가지로 해당 일반주택의 양도에 대하여 양도
소득세의 중과세율을 적용하지 아니합니다.

다만, 경과규정에 따라 중과배제 혜택이 배제되는 임대주택이 다음과 같이 구분됩니다.

※ 단기(4년)임대주택

① 2018년 9월 13일 이전

구 분	취득 당시 조정대상지역	취득 당시 非조정대상지역
아파트	중과배제 대상	
아파트 外		

② 2018년 9월 14일부터 2020년 7월 10일까지

구 분	취득 당시 조정대상지역	취득 당시 非조정대상지역
아파트	중과세율 적용	중과세율 적용
아파트 外		

※ 장기(8년)임대주택(20. 08. 18. 이후 등록 분부터는 10년)

① 2018년 9월 13일 이전

구 분	취득 당시 조정대상지역	취득 당시 非조정대상지역
아파트	중과배제 대상	
아파트 外		

② 2018년 9월 14일부터 2020월 7월 10일까지

구 분	취득 당시 조정대상지역 (1주택 이상 보유자)	취득 당시 非조정대상지역
아파트	중과세율 적용	중과배제 대상
아파트 外		

③ 2020년 7월 11일 이후

구 분	취득 당시 조정대상지역 (1주택 이상 보유자)	취득 당시 非조정대상지역
아파트	중과세율 적용	중과세율 적용
아파트 外		중과배제 대상

> **Q** 조정대상지역 내 1세대 1주택자가 소유한 1주택을 지자체 및 세무서에 임대사업자등록을 하고 임대의무기간과 임대료 상한(5%) 요건을 충족 후 양도하는 경우 거주요건을 적용하는지?
>
> **A** 2019년 12월 17일 이후 구청 및 세무서에 임대사업자등록을 신청하는 경우 2년 거주요건이 적용됩니다.

TIP

○ 등록임대주택의 거주기간 요건 배제 경과규정

종전규정의 경우 조정대상지역에서 취득한 주택을 임대주택으로 등록하는 경우에는 비과세 적용 시 2년의 거주기간 요건을 적용 배제하였습니다.

그러나 임대주택으로 등록하지 아니한 주택자와의 형평성 제고를 위하여 2019년 12월 16일 대책에 따라 2019년 12년 17일 이후에 등록하는 임대주택의 경우 등록을 하더라도 취득 당시 조정대상지역이었던 경우 '2년의 거주기간 요건'을 충족해야 합니다.

소득세법 시행령 제154조(1세대 1주택의 범위)

① 법 제89조 제1항 제3호 가목에서 "대통령령으로 정하는 요건"이란 1세대가 양도일 현재 국내에 1주택을 보유하고 있는 경우로서 해당 주택의 보유기간이 2년(제8항 제2호에 해당하는 거주자의 주택인 경우는 3년) 이상인 것[취득 당시에 「주택법」 제63조의2 제1항 제1호에 따른 조정대상지역(이하 "조정대상지역"이라 한다)에 있는 주택의 경우에는 해당 주택의 보유기간이 2년(제8항 제2호에 해당하는 거주자의 주택인 경우에는 3년) 이상이고 그 보유기간 중 거주기간이 2년 이상인 것]을 말한다. 다만, 1세대가 양도일 현재 국내에 1주택을 보유하고 있는 경우로서 제1호부터 제3호까지의 어느 하나에 해당하는 경우에는 그 보유기간 및 거주기간의 제한을 받지 않으며 제5호에 해당하는 경우에는 거주기간의 제한을 받지 않는다.

4. 삭제 〈2020. 02. 11.〉

소득세법 시행령 부칙 〈제30395호, 2020. 02. 11.〉

제38조(1세대 1주택의 범위에 관한 경과조치)
② 1세대가 조정대상지역에 1주택을 보유한 거주자로서 2019년 12월 16일 이전에 해당 주택을 임대하기 위해 법 제168조 제1항에 따른 사업자등록과 「민간임대주택에 관한 특별법」 제5조 제1항에 따른 임대사업자로 등록을 신청한 경우에는 해당 주택을 이 영 시행 이후 양도하는 경우라도 제154조 제1항의 개정규정에도 불구하고 종전의 규정에 따른다.

> **Q** 1호의 주택을 공동명의로 임대등록한 경우 조세특례제한법 제97조 의3에 따른 장기보유특별공제 50% 특례를 적용받을 수 있는지?
>
> **A** 공동 임대사업자의 경우, 개별 사업자가 "1호 미만"의 주택을 임대하 더라도 조세특례제한법의 요건을 충족하는 경우 장기보유특별공제 를 적용받을 수 있습니다.

TIP

○ 장기보유특별공제율 특례 적용요건

등록임대주택에 대하여 장기보유특별공제율의 특례(8년: 50%, 10년: 70%)를 적용받기 위해서는 다음의 요건을 모두 충족해야 합 니다.

> ① 2020년 12월 31일까지 공공지원민간임대주택 또는 장기일반민간임 대주택으로 등록할 것
> ② 등록임대주택으로 8년 이상 계속하여 임대할 것
> ③ 임대보증금 또는 임대료의 증가율이 5%를 초과하지 아니할 것
> ④ 주거전용면적이 85㎡ 이하일 것
> ⑤ 2018년 9월 14일 이후 취득한 임대주택의 경우 임대개시일 당시 기 준시가가 6억 원(수도권 밖 3억 원) 이하일 것

제97조의3(장기일반민간임대주택등에 대한 양도소득세의 과세특례)

① 대통령령으로 정하는 거주자가 2020년 12월 31일(「민간임대주택에 관한 특별법」 제2조 제2호에 따른 민간건설임대주택의 경우에는 2022년 12월 31일)까지 「민간임대주택에 관한 특별법」 제2조 제4호에 따른 공공지원민간임대주택 또는 같은 법 제2조 제5호에 따른 장기일반민간임대주택을 등록 [2020년 7월 11일 이후 장기일반민간임대주택으로 등록 신청한 경우로서 아파트를 임대하는 민간매입임대주택이나 「민간임대주택에 관한 특별법」(법률 제17482호로 개정되기 전의 것을 말한다) 제2조 제6호에 따른 단기민간임대주택을 2020년 7월 11일 이후 같은 법 제5조 제3항에 따라 공공지원민간임대주택 또는 장기일반민간임대주택으로 변경 신고한 주택은 제외한다]하여 다음 각 호의 요건을 모두 갖춘 경우 그 주택(이하 이 조에서 "장기일반민간임대주택등"이라 한다)을 양도하는 경우에 대통령령으로 정하는 바에 따라 임대기간 중 발생하는 소득에 대해서는 「소득세법」 제95조 제1항에 따른 장기보유 특별공제액을 계산할 때 같은 조 제2항에도 불구하고 100분의 50의 공제율을 적용한다. 다만, 장기일반민간임대주택등을 10년 이상 계속하여 임대한 후 양도하는 경우에는 100분의 70의 공제율을 적용한다.

1. 8년 이상 계속하여 임대한 후 양도하는 경우
2. 대통령령으로 정하는 임대보증금 또는 임대료 증액 제한 요건 등을 준수하는 경우

○ 단기민간임대주택을 장기일반민간임대주택으로 전환 시 의무임대기간 산정

단기민간임대주택을 장기일반민간임대주택으로 전환하는 경우, 그 전환일에 따라 의무임대기간의 승계기간이 달라집니다.

제97조의3(장기일반민간임대주택등에 대한 양도소득세의 과세특례)

19. 02. 11. 이전 전환 시	19. 02. 12. 이후 전환 시
④ 〈생략〉 「민간임대주택에 관한 특별법」에 따른 민간임대주택을 장기일반민간임대주택등으로 등록하는 경우에는 5년의 범위에서 민간임대주택으로 임대한 기간의 100분의 50에 해당하는 기간을 장기일반민간임대주택등의 임대기간에 포함하여 산정한다.	④ 〈생략〉 「민간임대주택에 관한 특별법」 제5조 제3항에 따라 같은 법 제2조 제6호의 단기민간임대주택을 장기일반민간임대주택등으로 변경 신고한 경우에는 같은 법 시행령 제34조 제1항 제3호에 따른 시점부터 임대를 개시한 것으로 본다.
최대 5년을 한도로 임대한 기간의 50% 인정	최대 4년을 한도로 기존임대기간 100%를 인정*

* 다만, 시행일 현재 단기민간임대주택을 8년 초과 임대한 경우 종전 규정에 따라 최대 5년을 한도로 임대기간의 **50%**를 인정합니다.

조세특례제한법 시행령 부칙 〈제29527호, 2019. 02. 12.〉

제29조(장기일반민간임대주택등에 대한 양도소득세 과세특례에 관한 경과조치)

① 이 영 시행 전에 「민간임대주택에 관한 특별법」 제5조 제3항에 따라 변경 신고한 경우에는 제97조의3 제4항의 개정규정에도 불구하고 종전의 규정에 따른다.

② 이 영 시행일 현재 단기민간임대주택을 8년 초과하여 임대한 경우에는 제97조의3 제4항의 개정규정에도 불구하고 종전의 규정에 따른다.

Ⅵ. 법인의 부동산양도

> **Q** 법인이 일시적으로 보유한 주택을 양도하는 경우 양도소득세를 신고 하면 되나요?
>
> **A** 법인이 주택을 양도하는 경우 각 사업연도 소득에 대한 법인세와 토 지등 양도소득에 대한 법인세 산출세액을 합산하여 납부합니다.

▦ TIP

○ 법인의 주택양도 시 법인세

법인이 주택을 양도하는 경우 두 가지의 법인세가 발생하게 됩니 다. 각 사업연도 소득금액을 계산하여 산출된 법인세와 토지등 양 도소득에 대한 추가과세입니다.

이 두 가지 세액을 합산하여 법인세 신고(일반적으로 3월 31일) 시에 신고 · 납부하게 됩니다.

토지등 양도소득에 대한 법인세는 과세물건의 양도로 차익이 발 생하는 경우 법인의 각 사업연도 소득금액이 발생하지 않는 경우에 도 납부하게 되는 이유에 대하여 법령과 사례로 확인해 보고자 합 니다.

법인세법 제55조의2(토지등 양도소득에 대한 과세특례)

① 내국법인이 다음 각 호의 어느 하나에 해당하는 토지, 건물(건물에 부속
된 시설물과 구축물을 포함한다), 주택을 취득하기 위한 권리로서 「소득
세법」 제88조 제9호에 따른 조합원입주권 및 같은 조 제10호에 따른 분
양권(이하 이 조 및 제95조의2에서 "토지등"이라 한다)을 양도한 경우
에는 해당 각 호에 따라 계산한 세액을 토지등 양도소득에 대한 법인세
로 하여 제13조에 따른 과세표준에 제55조에 따른 세율을 적용하여 계산
한 법인세액에 추가하여 납부하여야 한다. 이 경우 하나의 자산이 다음
각 호의 규정 중 둘 이상에 해당할 때에는 그 중 가장 높은 세액을 적용
한다.
〈생략〉
⑥ 토지등 양도소득은 토지등의 양도금액에서 양도 당시의 장부가액을 뺀
금액으로 한다. 다만, 비영리 내국법인이 1990년 12월 31일 이전에 취득
한 토지등 양도소득은 양도금액에서 장부가액과 1991년 1월 1일 현재
「상속세 및 증여세법」 제60조와 같은 법 제61조 제1항에 따라 평가한 가
액 중 큰 가액을 뺀 금액으로 할 수 있다. 〈개정 2014. 12. 23.〉

법인세법 제41조(자산의 취득가액)

① 〈생략〉
  1. 타인으로부터 매입한 자산(대통령령으로 정하는 금융자산은 제외한
    다): 매입가액에 부대비용을 더한 금액
  2. 자기가 제조 · 생산 또는 건설하거나 그 밖에 이에 준하는 방법으로
    취득한 자산: 제작원가(**制作原價**)에 부대비용을 더한 금액
  3. 그 밖의 자산: 취득 당시의 대통령령으로 정하는 금액

② 제1항에 따른 매입가액 및 부대비용의 범위 등 자산의 취득가액의 계산
에 필요한 사항은 대통령령으로 정한다. [전문개정 2010. 12. 30.]

법인세법 시행령 제72조(자산의 취득가액 등)

② 법 제41조 제1항 및 제2항에 따른 자산의 취득가액은 다음 각 호의 금액으로 한다.

1. 타인으로부터 매입한 자산: 매입가액에 취득세(농어촌특별세와 지방교육세를 포함한다), 등록면허세, 그 밖의 부대비용을 가산한 금액[법인이 토지와 그 토지에 정착된 건물 및 그 밖의 구축물 등(이하 이 호에서 "건물등"이라 한다)을 함께 취득하여 토지의 가액과 건물등의 가액의 구분이 불분명한 경우 법 제52조 제2항에 따른 시가에 비례하여 안분계산한다]

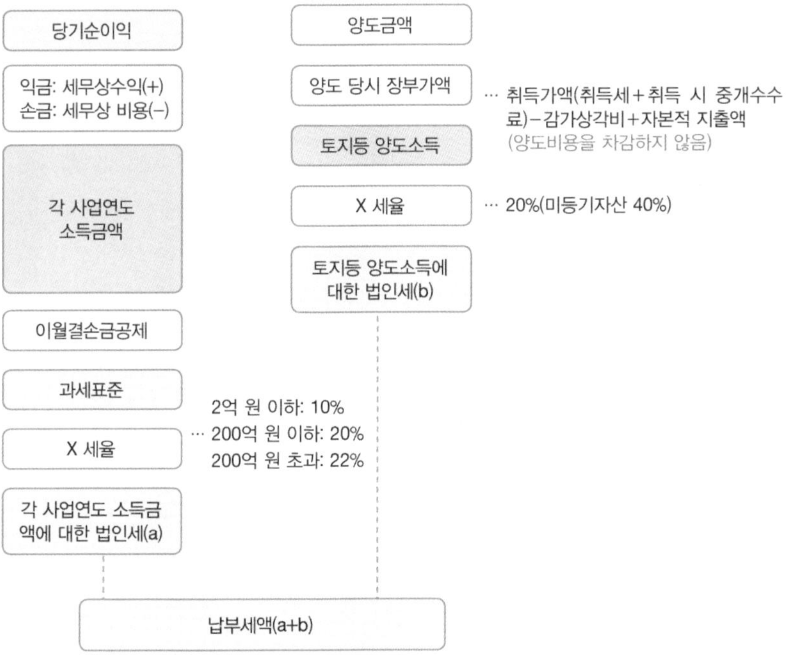

당기순이익
익금: 세무상수익(+)
손금: 세무상 비용(–)
각 사업연도
소득금액
이월결손금공제
과세표준
X 세율
2억 원 이하: 10%
··· 200억 원 이하: 20%
200억 원 초과: 22%
각 사업연도 소득금액에 대한 법인세(a)
양도금액
양도 당시 장부가액
··· 취득가액(취득세+취득 시 중개수수료)–감가상각비+자본적 지출액
(양도비용을 차감하지 않음)
토지등 양도소득
X 세율
··· 20%(미등기자산 40%)
토지등 양도소득에 대한 법인세(b)
납부세액(a+b)

○ 토지등 양도소득에 따른 법인세 세율인상 및 과세물건추가

2020년까지 양도한 경우에는 토지등 양도소득세 대한 법인세 추가과세 세율이 10%였습니다. 그러나 개인주택 양도세와 형평성 문제로 2021년 귀속분부터는 추가과세 세율을 20%로 상향하였습니다. 또한 법인세법 제55조의2 제1항 제4호에서 조합원입주권과 분양권도 추가과세 대상임을 명확히 하였습니다.

분양권의 경우에는 취득세를 납부하지 않고, 추가과세도 납부하지 않아서 전매가능한 분양권은 단기 시세차익을 목적으로 매력 있는 투자 물건이었습니다. 이를 활용하는 법인이 상당수 있음을 파악하고 추가과세를 명확히 하였습니다.

법인세법 제55조의2(토지등 양도소득에 대한 과세특례)

① 내국법인이 다음 각 호의 어느 하나에 해당하는 토지, 건물(건물에 부속된 시설물과 구축물을 포함한다), 주택을 취득하기 위한 권리로서 「소득세법」 제88조 제9호에 따른 조합원입주권 및 같은 조 제10호에 따른 분양권(이하 이 조 및 제95조의2에서 "토지등"이라 한다)을 양도한 경우에는 해당 각 호에 따라 계산한 세액을 <u>토지등 양도소득에 대한 법인세로 하여 제13조에 따른 과세표준에 제55조에 따른 세율을 적용하여 계산한 법인세액에 추가하여 납부하여야 한다.</u> 이 경우 하나의 자산이 다음 각 호의 규정 중 둘 이상에 해당할 때에는 그 중 가장 높은 세액을 적용한다.

2. 대통령령으로 정하는 <u>주택</u>(이에 부수되는 토지를 포함한다) 및 주거용 건축물로서 상시 주거용으로 사용하지 아니하고 휴양·피서·위락 등의 용도로 사용하는 건축물(이하 이 조에서 "별장"이라 한다)을 양도한 경우에는 토지등의 양도소득에 <u>100분의 20(미등기 토지등의 양도소득에 대하여는 100분의 40)</u>을 곱하여 산출한 세액. 다만, 「지방자치법」 제3조 제3항 및 제4항에 따른 읍 또는 면에 있으면서 대통령령으로 정하는 범위

및 기준에 해당하는 농어촌주택(그 부속토지를 포함한다)은 제외한다.

4. 주택을 취득하기 위한 권리로서 「소득세법」 제88조 제9호에 따른 조합원 입주권 및 같은 조 제10호에 따른 분양권을 양도한 경우에는 토지등의 양도소득에 100분의 20을 곱하여 산출한 세액

○ 세법개정에 따른 세금변화 비교

법인의 주택 양도차익 10억 원, 법인의 다른 소득금액 1억 원인 경우를 가정할 때

구 분	2020귀속	2021귀속	증 감
각 사업연도 소득금액	11억 원	11억 원	-
세율	20%	20%	-
산출세액	2억 원	2억 원	-
법인지방세	2천만 원	2천만 원	
토지등 추가법인세			
양도차익	10억 원	10억 원	
세율	10%	20%	
산출세액	1억 원	2억 원	+1억 원
지방세	1천만 원	2천만 원	+1천만 원

○ 여러 가지 상황별 법인세 추가납부세액

【예시】 양도차익 1억 원, 다른 소득금액 4억 원: 법인최종납부세액 1억 1천만 원

구 분	각 사업연도 소득에 대한 법인세	토지등 추가법인세
각 사업연도 소득금액	5억 원	1억 원
세율	20%(2억 원 이하 10%)	20%
산출세액	8천만 원	2천만 원
법인지방세	8백만 원	2백만 원
납부세액	1억 원(지방세 1천만 원)	

【예시】 양도차익 1억 원, 다른 소득금액(손실) -5억 원: 법인최종납부세액
        2천2백만 원

구 분	각 사업연도 소득에 대한 법인세	토지등 추가법인세
각 사업연도 소득금액	-	1억 원
세율	-	20%
산출세액	-	2천만 원
법인지방세	-	2백만 원
납부세액	2천만 원(지방세 2백만 원)	

【예시】

1. 취득단계: 취득가액 3억 원, 매수부동산 132만 원, 취득세 330
   만 원, 법무사수수료 40만 원, 변호사 비용 550만 원, 새시 교체
   (창호) 400만 원(취득가 총액 314,520,000원)

2. 보유단계: 보일러 교체 250만 원, 발코니 확장 1,100만 원, 타일
   교체 400만 원, 도배장판 200만 원, 전세복비 100만 원, 대표자
   인건비 6,000만 원

3. 매도단계: 매도가액 5억 원, 매도부동산비 220만 원

구 분	각 사업연도 소득에 대한 법인세	토지등 추가법인세
양도가액	500,000,000원	500,000,000원
양도 당시 장부가액	328,020,000원	328,020,000원
양도차익	171,980,000원	171,980,000원
기타비용	69,200,000원	
과세소득	102,780,000원	171,980,000원
산출세액	10,278,000원	34,396,000원
납부세액		44,674,000원
지방소득세액		4,467,400원
총부담세액	49,141,400원	

- 양도 당시 장부가액: 취득가 총액 314,520,000원, 보일러 교체 250만 원, 발코니 확장 1,100만 원
- 기타비용: 타일 교체 400만 원, 도배장판 200만 원, 전세복비 100만 원, 매도부동산비 220만 원, 대표자 인건비 6,000만 원

구 분		세부내용
취득단계	취득가액	취득세, 공인중개사수수료, 법무사비용, 인지대 등
보유단계		발코니, 새시 설치, 보일러 교체, 확장공사비용 등
양도단계	필요경비	위탁매매수수료 등

※ 이해상 편의를 위한 개괄적인 분류이며, 실제 신고 시에는 적격증빙, 이체내역 등의 검토를 통해 처리해야 함.

○ 토지등 양도소득에 대한 추가과세 양도차익과 손실의 통산

토지등 양도소득에 대한 추가과세를 계산하는 경우에 양도차손

이 발생하는 경우 양도차익과 통산합니다. 따라서 양도차손이 발생하는 분양권과 양도차익이 발생하는 주택을 같은 과세연도에 매도하면 토지등 양도소득에 대한 법인세를 절세할 수 있습니다.

양도차손의 이월공제에 관한 규정은 없으므로, 반드시 같은 과세연도에 양도차익이 발생하는 물건을 매도하여야 합니다.

법인세법 55조의2(토지등 양도소득에 대한 과세특례)

⑦ 제1항부터 제6항까지의 규정을 적용할 때 농지·임야·목장용지의 범위, 주된 사업의 판정기준, 해당 <u>사업연도에 토지등의 양도에 따른 손실의 있는 경우 등의 양도소득 계산방법</u>, 토지등의 양도에 따른 손익의 귀속사업연도 등에 관하여 <u>필요한 사항은 대통령령으로 정한다.</u>

법인세법 시행령 제92조의2(토지등 양도소득에 대한 과세특례)

⑨ 법인이 각 사업연도에 법 제55조의2를 적용받는 <u>2 이상의 토지등을 양도하는 경우에 토지등 양도소득은 해당 사업연도에 양도한 자산별로 법 제55조의2 제6항에 따라 계산한 금액을 합산한 금액으로 한다.</u> 이 경우 양도한 자산 중 양도 당시의 장부가액이 양도금액을 초과하는 토지등이 있는 경우에는 그 초과하는 금액(이하 이 항에서 "양도차손"이라 한다)을 <u>다음 각 호의 자산의 양도소득에서 순차로 차감하여 토지등 양도소득을 계산한다.</u>〈개정 2009. 02. 04.〉

<u>1. 양도차손이 발생한 자산과 같은 세율을 적용받는 자산의 양도소득</u>
<u>2. 양도차손이 발생한 자산과 다른 세율을 적용받는 자산의 양도소득</u>

프로필

세무사 이태현

- (現) 금오세무회계 대표세무사
- (現) 서울시 마을세무사
- (現) 국제융복합협회(IACE) 세무회계분야 자문위원

세무사 정선우

- (現) 율현세무회계 대표세무사
- (前) 세무법인 길 서초지사
- (前) 세무법인 다솔 분당지사

세무사 김형태

- (現) 안세회계법인
- (現) 메트라이프 생명보험 FSR